Cosmopolite

Méthode de français

A1

1

Cahier d'activités

Nathalie Hirschsprung

Anaïs Mater

Émilie Mathieu-Benoit

Nelly Mous

Tony Tricot

D1501409

FRANÇAIS LANGUE ÉTRANGÈRE

Crédits photographiques et droits de reproduction

Photo de couverture : Espagne, Grenade. © Starcevic / istock

Remerciements :
Nous remercions Anne Veillon-Leroux pour les activités de phonétique et la transcription phonétique des pages « lexique » du livret.

Photos et documents de l'intérieur du manuel :
p.8 : Kareyce Fotso : © Patrick Lazic/CIJF/OIF ; Mathieu Lippé : © Patrick Lazic/CIJF/OIF ; Sofiane Milous : © Ruszniewski/CIJF/OIF ; Nadjina Kaltouma : © Mahaman Laminou Ibrahim /CIJF/OIF ; Affiche : © CIJF/OIF ; p.10 : Moriarty : © Rama, Cc-by-sa-2.0-fr ; p.21 : © Logo Le Routard, http://www.routard.com/ ; p.33 : © Logo France Culture ; p.38 : © Le Petit Journal, http://www.lepetitjournal.com/ ; p.42 : © Pulsations ; p. 63 © F. Dupuis ; p.66 : <u>**Une Femme à la redresse**</u>, **Annie Miller,** © Éditions du Seuil, 2016 ; p.72 : <u>**Petit piment**</u>, **Alain Mabanckou,** © Éditions du Seuil, 2015, *Points*, 2017 ; p.80 : © Logo TripAdvisor ; p.81 : Bandeau : © Bonne Pioche Télévision / France 5. fr ; p.83 : JOUZEL/NOUAILLAS, *Quel climat pour demain ?,* © Dunod, Paris, 2015. Création graphique : Hokus Pokus Création ; p.88 : © Logo La Fourchette ; p.92 : Couverture n°1 : *L'Étranger,* Albert Camus © Livre de Poche ; Couverture n°2 : *D'après une histoire vraie,* Delphine de Vigan © Jeanne Morosoff pour les éditions JC Lattès ; p.98 : © Logo 20 Minutes ; © Le Petit Larousse ; p.99 : © Logo AlloCiné ; p.110 : Photo : Martial Raysse, Make-up, 1962 © ADAGP, Paris 2015 ; Photo © Gert Jan van Rooij, Amsterdam ; Création Studio Flammarion

Autres : © Shutterstock

Couverture : Nicolas Piroux
Conception graphique : Anne-Danielle Naname
Mise en page : Laure Gros
Illustrations :
Félix Blondel : pages 9, 21, 34, 47, 48, 66, 85, 90, 102, 123
Corinne Tarcelin : pages 20, 22, 33, 35, 46, 60, 65, 71, 94, 104, 106, 125
Enregistrements audio, montage et mixage : Studio Quali'sons : David Hassici

Nous avons fait tout notre possible pour obtenir les autorisations de reproduction des documents publiés dans cet ouvrage. Dans le cas où des omissions ou des erreurs se seraient glissées dans nos références, nous y remédierons dans les éditions à venir.

ISBN : 978-2-01-401598-0

© HACHETTE LIVRE, 2017
58, rue Jean Bleuzen, 92178 Vanves
http://www.hachettefle.fr

SOMMAIRE

Le **cahier d'activités** *Cosmopolite 1* vous accompagne tout au long de votre apprentissage et vous permet d'approfondir les **compétences** et les **savoir-faire** acquis en classe selon une approche pédagogique actionnelle. Vous pourrez l'utiliser de manière autonome grâce aux exemples, au **CD audio** et au livret des **corrigés et transcriptions**. Cet ouvrage propose une double page d'activités pour chacune des leçons, en trois temps :

- **Nous nous évaluons** : à partir d'un **document sonore ou écrit**, vous pourrez évaluer votre progression, leçon par leçon, en 10 points.
- **Nous pratiquons** : toujours en contexte, vous reprendrez de manière systématique les focus **langue**, **communication** et **phonétique** de chaque leçon.
- **Nous agissons** : résolument actionnelle, cette dernière partie vous propose de réagir à des **situations authentiques**, à l'écrit et à l'oral ; vous y trouverez également des activités pour mieux comprendre **la langue** et **la culture** en contexte **interculturel**.

Les bilans scénarisés, le portfolio et l'épreuve DELF vous permettent d'évaluer votre apprentissage.

Avec le **cahier d'activités de *Cosmopolite 1***, renforcez et pratiquez votre français en France et ailleurs, pour communiquer et agir en autonomie dans les situations de la vie quotidienne.

Bonne pratique !

Les auteurs

LEÇON **1** Bonjour !

COSMOPOLITE le Cahier

Nous nous évaluons

1. Faites les activités a et b et vérifiez votre score p. 1 du livret.

Distinguer une situation formelle/informelle

a. 🎧»2 Écoutez les dialogues et indiquez si la situation est formelle (F) ou informelle (I).

Exemple : — *Bonjour Madame.* — *Bonjour Monsieur.*

Exemple	Situation 1	Situation 2	Situation 3	Situation 4
F				

Saluer, demander/dire comment ça va, prendre congé

b. Par deux. **Vous vous saluez, vous vous demandez comment ça va, vous prenez congé, en situation formelle puis informelle.**

Mon score ..../10

Nous pratiquons

❯ Les articles indéfinis

2. Relevez les articles indéfinis et les noms dans l'invitation. Classez-les dans le tableau.

	Masculin	Féminin
Singulier	un repas	....
	....	....
Pluriel	....	....
	....	....

3. Complétez l'affiche avec : *un, une, des*.

SEMAINE
DE LA LANGUE FRANÇAISE
à STOCKHOLM

.... semaine

.... cocktail   *un* pays

.... étudiants   .... nationalités

.... rencontres

.... professeurs   *des* films

une exposition   .... chanson

❯ Saluer, prendre congé

4. Lisez les phrases. Proposez une expression de sens équivalent.

Exemple : *Bonjour !* → *Salut !*

1. Ça va ? → ....

2. Bien, merci. Et vous ? → ....

3. Vous allez bien ? → _____

4. À plus tard ! → _____

5. Par deux. **Corrigez les erreurs.**

Exemple : *Bonjour Monsieur ! Je m'appelle Franck. Et toi ?*
→ Bonjour Monsieur ! Je m'appelle Franck. Et vous ?

1. Salut ! Vous allez bien ? _____

2. Bonjour Monsieur ! Comment vas-tu ? _____

3. Salut professeur ! _____

4. Bonjour ! À demain ! _____

Sons du français   Le son [y]

6. ◉▸3 [y] et [u]. a. **Écoutez et écrivez les phrases.**   b. **Complétez.**

Exemple : *Salut ! À plus tard !*

1. _____   [y] s'écrit : _____ comme dans salut.

2. _____   [u] s'écrit : _____ comme dans bonjour.

3. _____

4. _____

Nous agissons

7. ◉▸4 **Écoutez et répondez aux questions à l'oral.**

8. **Lisez les deux messages Whatsapp et répondez.**

Conversation — **Moustapha** *vu aujourd'hui à 16:06*

Bonjour, je m'appelle Cristina, et vous ?

_____
_____
_____
_____

Conversation — **Moustapha** *vu aujourd'hui à 17:06*

Tu vas bien ?

_____
_____

Le cours commence. À plus tard !

_____
_____

LEÇON 2 Ça se passe où ?

Nous nous évaluons

Échanger des informations

1. Dialoguez avec votre partenaire et vérifiez votre score p. 1 du livret.

Situation 1 :

Saluer – Avion pour Montréal ? –
Remercier

Saluer – Porte 25 –
Répondre avec politesse

Situation 2 :

Saluer – Bus pour Toronto ? –
Remercier et prendre congé

Saluer – Non, bus pour Ottawa –
Prendre congé

Mon score ...... /10

Nous pratiquons

⟩ Les formules de politesse pour demander des informations

2. Transformez avec des formules de politesse. *Formal way "vous"*

Exemple : *Où est le quai n° 10 ? (à un homme)* → *Pardon Monsieur, où est le quai n° 10, s'il vous plaît ?*

1. Un billet de train pour Toulouse. (à une femme) → ....

2. C'est le train pour Genève ? (à un homme) → ....

3. Un billet d'avion pour Stockholm. (à un homme) → ....

4. Où est la gare ? (à une femme) → ....

⟩ Les mots interrogatifs

3. Classez les mots. *list*

Un homme, *le soir*, une femme, le matin, *un échange de numéros de téléphone*, une jeune femme, l'été, *le Maroc*, Marius Ndiaye, une gare routière, lundi, une gare, un aéroport, l'après-midi, un monsieur, Lyon, à midi, une rencontre, l'automne, un rendez-vous.

Qui : *un homme,* ....

Où : *le Maroc,* ....

Quand : *le soir,* ....

Quoi : *un échange de numéros de téléphone,* ....

4. Complétez les dialogues avec : *qui*, *où*, ou *quand*.

1. – Excusez-moi Monsieur,

il arrive .... le train pour Nice ?

– Dans 15 minutes.

– .... exactement ?

– Quai n° 3, Madame.

2. – C'est .... sur la photo ?

– C'est Laura.

– Ah, et c'est .... ?

– À Amsterdam.

– .... ?

– En automne, pendant les vacances.

Les nombres

5. 🎧 N5 Écoutez les messages et écrivez les numéros de téléphone.

1. ....   2. ....   3. ....

Sons du français   L'accentuation de la dernière syllabe

6. 🎧 N6 Lisez les mots à haute voix, marquez la dernière syllabe et écoutez pour vérifier.

Une gare | Une voiture | L'après-midi | Un aéroport

Un train | Le matin | Monsieur Tremblay | Un billet d'avion

☐■ | ☐☐■ | ☐☐☐■ | ☐☐☐■

Nous agissons

7. 🎧 N7 Écoutez le message et répondez aux questions à l'oral après le bip.

8. Un étudiant propose une activité à votre classe de français. Lisez le message et répondez.

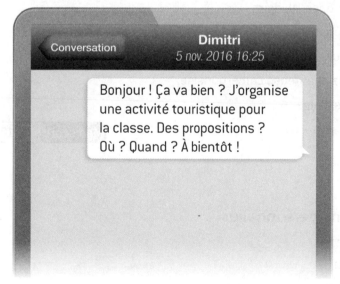

Conversation — **Dimitri** — 5 nov. 2016 16:25

Bonjour ! Ça va bien ? J'organise une activité touristique pour la classe. Des propositions ? Où ? Quand ? À bientôt !

Conversation — **Léa** — 5 nov. 2016 16:45

9. Dans votre langue et dans les autres langues que vous connaissez :

a. Comment saluez-vous à l'oral et à l'écrit dans une situation formelle ?

b. Utilisez-vous « Madame »/« Monsieur » dans les formules de salutations et de politesse ?

Les salutations et formules de politesse en français :

Bonjour Madame/Monsieur
Pardon Madame/Monsieur
Excusez-moi Madame/Monsieur
Merci Madame/Monsieur
...

Nous nous évaluons

Comprendre un événement francophone

1. Observez les documents et soulignez la / les réponse(s) correcte(s). Vérifiez votre score p. 1 du livret.

Exemple : *Le pays des Jeux de la Francophonie est : la France, le Cameroun, la Côte-d'Ivoire*.

1. Les Jeux de la Francophonie sont : une fête culturelle, une fête sportive, un festival de cinéma.

2. La ville des Jeux de la Francophonie est : Paris, Québec, Abidjan.

3. Les sportifs et les artistes sont : français, francophones.

4. Les continents représentés sont : l'Europe, l'Afrique, l'Amérique, l'Océanie, l'Asie.

5. Kareyce Fotso est : un chanteur camerounais, une chanteuse camerounaise.

6. Sofiane Milous est : un artiste, un sportif, français, belge.

Mon score ...... /10

Nous pratiquons

❯ Le verbe *être* pour donner des informations personnelles

2. Posez des questions avec le verbe *être* et répondez.

Exemple : *Tu / russe → Tu es russe ? Oui, je suis russe.*

1. Elle / actrice → Elle .... ? Oui, elle ....

2. Ils / canadiens → Ils .... ? Oui, ils ....

3. Vous / francophones → Vous .... ? Oui, nous ....

4. Tu / belge → Tu .... ? Oui, je ....

5. Elles / musiciennes → Elles .... ? Oui, elles ....

6. Il / réalisateur → Il .... ? Oui, il ....

La nationalité

3. Lisez la page Internet du festival des cultures francophones et faites des phrases comme dans l'exemple.

LE FESTIVAL DES CULTURES FRANCOPHONES

	ARTISTES						
Belgique	VAN HASH Alexander		✔				
Cameroun	TCHOMBÉ Nina	1				✔	
Canada	LAVOIE William	2		✔			
France	MATHIEU Anne	3					✔
Liban	LABAKI George	4			✔		
Vietnam	NGUYEN Caroline	5		✔			

Exemple : *Alexander Van Hash est belge et humoriste.*

1. ....
2. ....
3. ....
4. ....
5. ....

Sons du français   L'intonation montante et descendante

4. 🎧 8 Écoutez les phrases et cochez si c'est une question.

Exemple : *Il s'appelle Alexander Van Hash ?*

	Exemple	Phrase n°1	Phrase n°2	Phrase n°3	Phrase n°4	Phrase n°5	Phrase n°6
Question	✗						

5. Par deux. Lisez les phrases. **A** lit la 1ʳᵉ colonne et **B** la 2ᵉ colonne. Puis **B** lit la 1ʳᵉ colonne et **A** la 2ᵉ colonne.

1. Denis est réalisateur ?
2. Philippe est acteur ?
3. Emma est belge ?

Denis est réalisateur.
Philippe est acteur.
Emma est belge.

Nous agissons

6. 🎧 9 Vous êtes au Centre de langues. Écoutez et répondez aux questions du journaliste.

7. Écrivez une présentation personnelle pour les Jeux de la Francophonie.

Les Jeux de la Francophonie

Vous voulez participer à l'organisation des Jeux de la Francophonie ?
Complétez votre profil (nom, prénom, nationalité, profession, langues parlées).

....
....
....
....

Comprendre une présentation

1. Faites les activités a et b et vérifiez votre score p. 2 du livret.

   a. 🎧)10 Écoutez. Qu'est-ce que c'est ? Cochez la bonne réponse.

un jeu ☐   une interview ☐   une émission de radio ☐

   b. Réécoutez et complétez la fiche.

Questions pour des €UROS

Réponse
Nom : ....
Prénom : ....
Langues parlées : ....
....
Nationalité : ....
Profession : ....

Mon score ....../10

❯ *C'est* ou *Il est/Elle est* pour présenter ou identifier une personne

2. Complétez la présentation du groupe "Moriarty" avec : Stephan – suisse – chanteur et musicien – Rosemary – une chanteuse – franco-américaine – l'ami de Rosemary

C'est ....

Elle est ....
....

C'est ....
....

Il est ....
....

3. Barrez les expressions incorrectes.

   Exemple : ~~Elle est~~ / C'est Juliette, *elle est* / ~~c'est~~ fantastique, *elle est* / ~~c'est~~ actrice.

   1. *Il s'appelle* / *Il est* Lambert, *il est* / *c'est* franco-britannique, *il est* / *c'est* acteur et chanteur. *C'est* / *Elle est* l'ami de Juliette.

   2. *Nous nous appelons* / *Nous sommes* Jean-Pierre et Luc, *nous sommes* / *ce sont* réalisateurs et *nous sommes* / *ce sont* belges.

   3. *Vous êtes* / *vous vous appelez* peintre ? *Vous êtes* / *Vous vous appelez* comment ? *Vous êtes* / *c'est* chinois ?

   4. *Ils sont* / *Ce sont* des artistes. *Ils parlent* / *Ils s'appellent* espagnol, français et anglais.

Les verbes *parler* et *s'appeler* au présent

4. Complétez les présentations avec les verbes *parler* et *s'appeler*.

Exemple : *Je m'appelle* Luyi, je suis chinoise et je *parle* chinois, français et anglais.

1. C'est mon ami, il .... (1) David et il .... (2) espagnol et français.

2. Et vous, vous .... (3) comment ? Vous .... (4) français ?

3. Nous .... (5) Elvira et Christopher. Nous sommes étudiants et nous .... (6) français et anglais.

4. C'est super ! Les étudiants .... (7) français !

5. En petits groupes. **Présentez des personnes de la classe à l'oral.**

Exemple : « Elle s'appelle Patricia, elle est professeure de français et elle est française. Elle parle français et anglais. »

6. Lisez les deux textes à voix haute.

C'est André.
Il est couturier.
C'est un couturier burkinabé.

C'est Hélène.
Elle est brésilienne.
C'est l'amie de Marjolaine.

7. Écrivez un texte avec *C'est* et *Il est / Elle est* comme dans l'activité 6.

....

Sons du français **Les terminaisons muettes ou prononcées**

8. 🎧▸11 **Écoutez et classez les verbes :** *appelez*, appelons, *appellent*, appelles, appelle, appeler, parler, parlons, parles, parlez, parlent, parle.

Terminaison non prononcée : *appellent*, ...

Terminaison prononcée : *appelez*, ...

Nous agissons

9. 🎧▸12 **Vous êtes au Centre de langues. Écoutez et répondez aux questions de la journaliste.**

10. Un étudiant vous contacte pour échanger sur le site exchangelingua.com. Répondez.

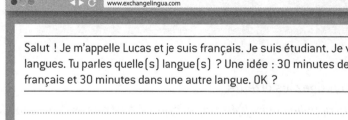

Salut ! Je m'appelle Lucas et je suis français. Je suis étudiant. Je veux pratiquer des langues. Tu parles quelle(s) langue(s) ? Une idée : 30 minutes de conversation en français et 30 minutes dans une autre langue. OK ?

LEÇON 5 En classe

Répondre à une annonce

1. Répondez à Audrey : présentez votre classe de français et vérifiez votre score p. 2 du livret.

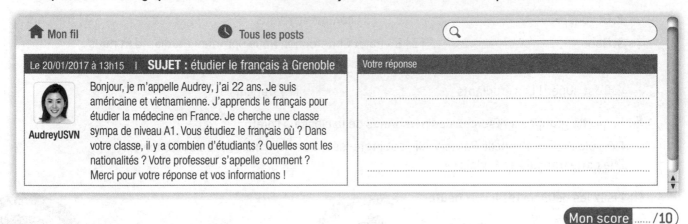

🏠 Mon fil	🕐 Tous les posts	🔍

| Le 20/01/2017 à 13h15 | **SUJET :** étudier le français à Grenoble | Votre réponse |

AudreyUSVN

Bonjour, je m'appelle Audrey, j'ai 22 ans. Je suis américaine et vietnamienne. J'apprends le français pour étudier la médecine en France. Je cherche une classe sympa de niveau A1. Vous étudiez le français où ? Dans votre classe, il y a combien d'étudiants ? Quelles sont les nationalités ? Votre professeur s'appelle comment ? Merci pour votre réponse et vos informations !

Mon score ..../10

Nous pratiquons

❧ L'adjectif interrogatif *quel(s) / quelle(s)*

2. Entourez l'expression correcte.

Exemple : Quel est votre (nom) / langue ?

1. Quelles sont *vos coordonnées / vos numéros de téléphone* ?

2. Quelles *spécialité / langues* vous parlez ?

3. Quelle est *votre prénom / votre nationalité* ?

4. Quels sont *vos numéros de téléphone / vos langues* ?

5. Quel *nationalité / âge* vous avez ?

6. Quelle est votre *profession / prénom* ?

3. Relevez et classez les expressions choisies dans l'activité 2.

	Masculin	Féminin
Singulier	Exemple : *quel nom*	
Pluriel		

❧ *Être* ou *avoir*

4. Identifiez et corrigez les erreurs.

Exemple : *Je m'appelle Lucia, je espagnole, je suis 19 ans. → Je m'appelle Lucia, je SUIS espagnole, j'AI 19 ans.*
1. Bonjour, je m'appelle Tom. Je suis 45 ans. Je suis irlandais. Je suis ingénieur. J'étudie le français. Et c'est Irène, une amie. Elle est suédoise. Elle est 33 ans. Elle est professeure. Elle étudie le français aussi.

2. Salut, nous c'est Marius et Adelia, nous lituaniens. Nous sommes 51.
Nous sommes musiciens. Et vous, vous êtes artiste ? Vous êtes quel âge ? Vous êtes anglais ?

....

....

3. Moi, c'est Andrea, je colombien. J'ai 65.

....

....

L'adjectif possessif

5. Répondez aux questions comme dans l'exemple.

Exemple : *C'est ton ami ? → Oui, c'est mon ami.*

1. C'est le passeport de Nicole ? → Oui, ...

2. C'est votre classe ? → Oui, ...

3. C'est la photo de Marcus ? → Oui, ...

4. C'est le professeur de Tim et Moussa ? → Oui, ...

5. C'est ta voiture ? → Oui, ...

6. C'est mon badge ? → Oui, ...

6. Par trois. **Dialoguez et trouvez le propriétaire de chaque objet. Continuez avec 3 autres objets.**

	Étudiant A	Étudiant B	Étudiant C
Exemple : *le portable*	– C'est ton portable ? *(A à étudiant B)*	– Non, c'est son portable. *(B montre l'étudiant C)*	– Oui, c'est mon portable.

a. le dictionnaire   b. la tablette   c. le passeport

Sons du français   Le son [z] et la liaison verbale avec *nous, vous, ils, elles*

7. a. 🎧▸13 Écoutez et cochez quand vous entendez [s] ou [z] dans la liaison verbale.

Exemple : *Elles sont en classe.*

Phrases	Exemple	1	2	3	4	5	6
[s]	✗						
[z]							

b. Par deux. **Préparez quatre phrases avec « ils sont », « elles sont », « ils ont » et « elles ont ». Lisez les phrases, votre camarade complète le tableau.**

Nous agissons

8. 🎧▸14 **Écoutez et répondez aux questions du professeur.**

9. En français, on utilise le verbe avoir et le mot ans pour exprimer l'âge. Comparez avec votre langue et les langues que vous connaissez.

En français : « Bonjour, je m'appelle Myriam. Je suis française. J'**ai** 38 **ans**. »

Dans ma langue : ....

Dans une autre langue : ....

Nous nous évaluons

Comprendre une conversation sur l'apprentissage d'une langue

1. 🎧 ▶15 Écoutez les personnes et complétez le tableau puis regardez votre score p. 2 du livret.

	Langues	Cause(s)	Objectif(s)
John	Exemple : *anglais, russe, français*		*Pour travailler à l'Organisation des Nations unies*
Linda			
Stefano			
David			

Mon score ...... /10

Nous pratiquons

➤ Parce que – Pour

2. Complétez les réponses à cette question : « Pourquoi vous apprenez le chinois ? » avec *parce que* ou *pour*.

Exemple : *Parce que c'est la langue de l'avenir !*

1. .... travailler en Chine.

2. .... 178 millions de personnes parlent cette langue.

3. .... comprendre la culture chinoise.

4. .... bien communiquer avec les Chinois.

3. Associez les questions et les réponses comme dans l'exemple.

Pourquoi apprendre l'allemand ? •

1. Pourquoi apprendre le japonais ? •

2. Pourquoi apprendre l'italien ? •

3. Pourquoi apprendre l'espagnol ? •

4. Pourquoi apprendre le russe ? •

• **a.** Pour voyager en Russie.

• **b.** Parce que c'est une langue parlée en Amérique du Sud et en Espagne.

• **c.** Pour étudier à Tokyo.

• **d.** Pour comprendre les opéras de Verdi.

• *Parce que 90 millions de personnes parlent cette langue en Europe.*

Les mots interrogatifs

4. Barrez les propositions incorrectes.

Exemple : ~~Combien~~ / ~~Pourquoi~~ / Quelles sont vos coordonnées ?

1. *Comment / Pourquoi / Quel* ça va ?
2. Il a *quand / quel / combien* âge ?
3. *Quel / Qui / Pourquoi* tu apprends le français ?
4. *Qui / Quand / Combien* est son professeur ?
5. Vous habitez *qui / où / comment* ?
6. Elle arrive *qui / quand / combien* ?

La ponctuation

5. Utilisez « , », « . », « ? » et « ! » dans le dialogue.

1. C'est qui
2. C'est Ali il est saoudien
3. Pourquoi il étudie le français
4. Pour travailler dans les relations internationales
5. Le français c'est difficile
6. Oui mais c'est super

Sons du français   Reconnaître et poser des questions

6. 🎧▶16 Écoutez les questions et cochez la bonne réponse.

Exemple : *Comment ça va ?*

	Exemple	1	2	3	4	5	6
L'intonation monte au début de la phrase	X						
L'intonation monte à la fin de la phrase							

Nous agissons

7. 🎧▶17 **Vous participez à l'événement *Langues en Fête* : répondez aux questions d'une étudiante française.**

8. Participez à un journal collaboratif : répondez aux questions.

Participez à notre article !

Vous êtes de quelle nationalité ?

Vous avez quel âge ?

Vous parlez quelle(s) langue(s) ?

Pourquoi c'est bien d'apprendre des langues ?

Merci pour votre participation !

BILAN 1

Nous apprenons le français pour...

Production écrite

1 C'est votre premier jour de cours à l'école de langue française. Complétez la fiche de présentation :

> **FICHE DE PRÉSENTATION**

NOM : _____

Prénom : _____

Âge : _____

Ville : _____

Pays : _____

Nationalité : _____

Langue(s) parlée(s) : _____

Photo

Production orale

2 Le professeur vous donne la fiche de présentation d'une étudiante de votre cours. Présentez cette étudiante à la classe.

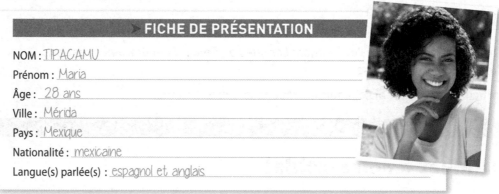

> **FICHE DE PRÉSENTATION**

NOM : TIPACAMU

Prénom : Maria

Âge : 28 ans

Ville : Mérida

Pays : Mexique

Nationalité : mexicaine

Langue(s) parlée(s) : espagnol et anglais

Compréhension orale

3 🎧 ▶18 Écoutez la présentation d'un étudiant de votre cours. Répondez aux questions.

1. Comment s'appelle l'étudiant ?

   nom : ....

   prénom : ....

2. Il a quel âge ? ....

3. Quel est son pays ? ....

4. Quelle est sa nationalité ? ....

5. Il parle quelle(s) langue(s) ? ....

Production écrite

4 Voici une photo de votre classe :

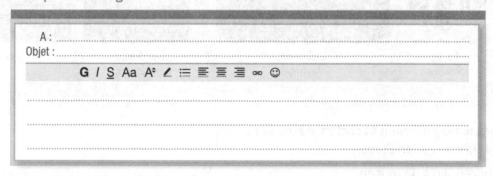

Nicolas nico47nico@gmail.com

Maria mariatipacamu@gmail.com

Alexia alexiafaziz@hotmail.fr

Juan juanitodelpueblo@yahoo.es

Ivana ivana@hotmail.com

Vous écrivez un mél à un(e) étudiant(e) de votre classe. Vous le/la saluez. Vous vous présentez et vous demandez pourquoi il/elle veut apprendre le français. Vous dites pourquoi vous apprenez le français. Vous prenez congé.

> A : ....
> Objet : ....
>
> **G** *I* S̲ Aa A² ✎ ☰ ☰ ☰ ☰ ∞ ☺
>
> ....
> ....
> ....

Compréhension écrite

5 Vous recevez cet email d'un étudiant de votre classe. Répondez aux questions :

> De : nico47nico@gmail.com
> Objet : présentations
>
> **G** *I* S̲ Aa A² ✎ ☰ ☰ ☰ ☰ ∞ ☺
>
> Bonjour,
> Je m'appelle Nicolas Huysmans. Je suis hollandais. J'habite aux Pays-Bas. J'ai 38 ans. Je parle néerlandais, anglais et espagnol. Je suis médecin. J'apprends le français pour mon travail et parce que c'est une langue facile à apprendre! Et toi?
> Bonne journée!
> Nico.

1. Quel est le nom de Nicolas ? ....

2. Quelle est la nationalité de Nicolas ? ....

3. Où habite Nicolas ? ....

4. Quel âge a Nicolas ? ....

5. Nicolas parle combien de langues ? ....

6. Quelle est la profession de Nicolas ? ....

7. Pourquoi Nicolas étudie le français ? ....

LEÇON **1** Aller voir ailleurs

Nous nous évaluons

Comprendre un blog et nommer des pays et des villes

1. Faites les activités a et b et vérifiez votre score p. 3 du livret.

LE BLOG D'HIROMI — Souvenirs de voyages

Cannes, France | Paris, France | Lisbonne, Portugal | Londres, Angleterre | Amsterdam, Pays-Bas

a. Observez le blog d'Hiromi et cochez vrai ou faux.

Exemple : *Hiromi est en Europe.*   **☒** Vrai   ☐ Faux

1. À Londres, il y a un musée.   ☐ Vrai   ☐ Faux

2. À Cannes, il y a le Palais des Festivals.   ☐ Vrai   ☐ Faux

3. Elle est en Espagne pour voir l'océan Atlantique.   ☐ Vrai   ☐ Faux

b. Écrivez des conseils pour son blog.

1. *Cannes, France : aller à Cannes, en France, pour voir le Palais des Festivals.*

2. Paris, France : ....

3. Lisbonne, Portugal : ....

4. Londres, Angleterre : ....

5. Amsterdam, Pays-Bas : ....

Mon score .... /10

Nous pratiquons

Les pays et les villes

2. Complétez avec : *Portugal*, Équateur, Canada, *Mauritanie*, Angleterre, Égypte, Vietnam, Russie, Laos, Suisse et l'article.

1. Pays masculins : *le Portugal,* ....

2. Pays féminins : *la Mauritanie,* ....

3. Barrez l'intrus.

Exemple : *L'Italie – L'Espagne – L'Iran*

1. Le Surinam – La Belgique – Le Nicaragua

2. Monaco – Singapour – Le Luxembourg

3. Les États-Unis – New York – Chicago

4. La Suède – Le Danemark – La Finlande

Les prépositions

4. Complétez avec les prépositions *à,* en ou au.

À Paris, on visite la tour Eiffel. .... Suisse, il y a des montagnes : les Alpes. .... Espagne, les plages sont magnifiques. .... Brésil, on écoute de la samba et .... Rio, il y a le carnaval. .... Dubaï, le shopping est super !

5. Par deux. Écrivez six noms de pays et de villes et dites ces noms à votre camarade. Il/elle écrit les noms et les prépositions.s

Exemple : *Tanzanie, Zanzibar. → en Tanzanie, à Zanzibar.*

1. ....

2. ....

3. ....

4. ....

5. ....

6. ....

Sons du français   [ə] et [e] pour différencier le singulier et le pluriel

6. 🎧▸19 Écoutez et dites si vous entendez le singulier ou le pluriel.

1. [ə] : *1,* ....   2. [e] : *2,* ....

Nous agissons

7. 🎧▸20 Écoutez et répondez aux questions d'une étudiante de français.

8. Écrivez un blog pour recommander ces quatre villes avec une caractéristique et un conseil. Donnez un titre à votre page.

| Tokyo | Rio | Londres | Paris |

LEÇON **2** Balade audioguidée

Nous nous évaluons

Comprendre un itinéraire et localiser des lieux

1. Écoutez et faites les activités a et b puis vérifiez votre score p. 3 du livret.

a. 🎧▸21 **Écoutez et barrez la proposition incorrecte.**

Exemple : *C'est un message téléphonique.* ~~*C'est une conversation téléphonique.*~~

1. C'est une relation amicale. C'est une relation professionnelle.

2. Juan donne rendez-vous à la gare. Juan donne rendez-vous au restaurant.

3. Le rendez-vous est samedi après-midi. Le rendez-vous est samedi à midi.

b. **Réécoutez. Tracez l'itinéraire sur le plan et écrivez le nom des lieux.**

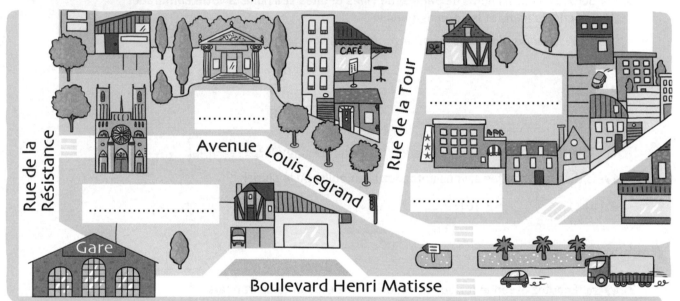

Mon score ....../10

Nous pratiquons

❯ Les articles définis et indéfinis

2. Complétez la présentation de la ville avec *une*, un, le, l', la, les ou des.

Saint-Étienne est *une* ville française près de Lyon. .... activités sont nombreuses ! Voici votre programme pour .... journée. .... matin : visiter .... Cité du Design. À midi, rendez-vous au restaurant « Les poteaux carrés » (c'est derrière .... place du Peuple), c'est .... très bon restaurant ! .... après-midi : visiter .... musée d'Art Moderne et aller à .... boutique du musée pour acheter .... souvenirs. Et .... soir : écouter .... concert au club « Le Fil ».

3. Soulignez le mot correct.

1. Il y a *l'/une* école de langue française à Perpignan ? Oui, c'est *le/un* Centre d'Études en Langue Française.

2. Il y a *le/un* fleuve à Paris ? Oui, c'est *la/une* Seine.

3. Il y a *le/un* très bon restaurant à côté de Lyon ? Oui, c'est *le/un* restaurant de Paul Bocuse.

4. Il y a *les/des* musées à Saint-Étienne ? Oui, *le/un* musée d'Art Moderne et *la/une* Cité du Design.

❯ Les lieux

4. Associez les légendes aux dessins.

Exemple : *Tasha devant la Tour de Pise*.

1. Lena à côté du fleuve. **2.** Arthur et Ludwig à droite du restaurant.
3. Ronald devant la gare. **4.** Fanny à gauche du musée.

a.   b.   c.   d.   e.

Tasha devant la tour
de Pise

❯ Les prépositions de lieu et l'article contracté

5. Regardez le plan de l'activité **1b** et répondez aux questions. Utilisez des prépositions de lieu. Plusieurs réponses sont possibles.

Exemple : *Où est la rue de la Résistance ? La rue de la Résistance est en face de la gare.*

1. Où est la cathédrale ? ....

2. Où est le musée ? ....

3. Où est le café ? ....

4. Où est l'hôtel ? ....

5. Où est le restaurant ? ....

❯ Comprendre une direction

6. 🎧♫22 Par deux. Écoutez les dialogues et notez les symboles corrects : ⬅ ⬆ ➡

Exemple : Pour aller au musée, *tourner à gauche dans la rue de Lille et continuer tout droit.* ⬅ ⬆

1. Pour aller au restaurant : [.............]   3. Pour aller à l'université : [.............]

2. Pour aller à la cathédrale : [.............]

Nous agissons

7. 🎧♫23 Écoutez. Avec le plan de l'activité **1b**, répondez aux questions des touristes à l'hôtel.

8. Répondez à un internaute sur un forum de voyage.

routard .com Forum États-Unis Partir pendant 1 an	....
Daniel Je veux découvrir votre ville. Une idée de programme pour une journée ? Merci.	....

9. En français, on utilise un article devant le nom : *le voyage*. Comparez avec votre langue.

LEÇON 3 Week-end à Aoste

Nous nous évaluons

Présenter un lieu

1. Écrivez l'article de présentation de Bruxelles avec les informations puis vérifiez votre score p. 4 du livret.

À voir et à faire : le centre-ville, l'Atomium, le Musée de la bande dessinée, les restaurants
Les moyens de transport : voiture, train, bus

....

....

....

Mon score ...... /10

Nous pratiquons

❭ Les activités à faire et les lieux à visiter

2. Associez comme dans l'exemple. Plusieurs réponses sont possibles.

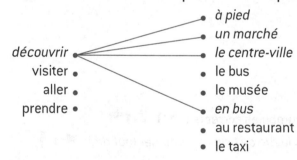

découvrir
visiter
aller
prendre

• à pied
• un marché
• le centre-ville
• le bus
• le musée
• en bus
• au restaurant
• le taxi

❭ Les articles contractés

3. Par deux. Dialoguez comme dans l'exemple. Plusieurs réponses sont possibles. Vérifiez vos réponses avec la carte p. 221 du livre.

Exemple : *A : Où se trouvent les Pays-Bas ?*
B : Les Pays-Bas se trouvent à l'ouest de l'Allemagne et au nord de la Belgique.
Étudiant A : Pays-Bas, Pologne, Luxembourg, République Tchèque, Slovaquie
Étudiant B : Espagne, Belgique, Allemagne, Slovénie

4. Identifiez et corrigez les erreurs.

Exemple : Pour aller ~~à le~~ au château, vous allez à l'ouest ~~de le~~ du marché et vous continuez tout droit.
1. Les Alpes françaises se trouvent à le sud de la France, entre l'Italie, la Suisse et la France.
2. Pour aller à les Halles, vous prenez le bus et allez à le nord de le parc.
3. La Belgique est un pays situé à le sud de les Pays-Bas et à le nord de la France.
4. Tu vas à le café à côté de les Thermes ?
5. Nous visitons une ville à l'est de le Rhône et à le sud de le lac Léman.
6. Pour aller à le cinéma, je vais à l'est ou à l'ouest de le centre-ville ?

Les prépositions et les moyens de transport

5. Pour chaque lieu, écrivez les moyens de transport possibles.

1. Je visite Paris : *en métro*, ...

2. Vous allez à New York : ....

3. Ils découvrent la Nouvelle-Zélande : ....

Les verbes *aller* et *prendre*

6. Complétez avec les verbes *aller* et *prendre*.

1. Mes amis et moi, nous *allons* à Kuala Lumpur, nous .... l'avion.

2. Pour visiter la ville, vous .... le bus ou le métro ?

3. On .... au parc à vélo mais pour aller au restaurant, on .... un taxi.

4. Tu .... ton vélo pour aller à la montagne ? Je .... ma voiture !

5. Ils .... à pied dans le centre-ville puis ils .... le train.

6. Elles .... le bus pour retourner à l'hôtel.

Sons du français   L'élision du [ə] et du [a] devant une voyelle

7. 🎧►24 Complétez avec *le*, *la* ou *l'* puis écoutez pour vérifier.

Exemple : *L'Irlande.*

1. .... musée. 2. .... Allemagne. 3. .... région. 4. .... Espagne. 5. .... avion. 6. .... pays.

Nous agissons

8. Regardez les instructions et répondez aux questions de Thomas.

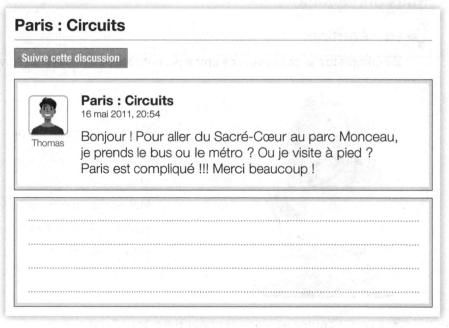

9. 🎧►25 Écoutez et répondez à une enquête sur les transports en ville.

LEÇON 4 Parle avec moi

Nous nous évaluons

Présenter une personne francophone

1. Présentez la personne à l'oral avec les informations. Attention ! Faites huit phrases affirmatives et deux phrases négatives. Vérifiez votre score p. 5 du livret.

Exemple : *Elle s'appelle Diane Robinson.*

★★★★

FRENCH IN CHICAGO

Prénom : Diane

Nom : Robinson

Nationalité : ☑ française ☐ américaine

Âge : 49 ans

Lieu de naissance : Montluçon, France

Lieu de résidence : Chicago, États-Unis

Situation familiale : mariée

Nombre d'enfant(s) : 1

Profession : musicienne

Langues parlées : ☑ anglais ☑ français ☐ espagnol

Mon score ....../10

Nous pratiquons

 **La négation**

2. Complétez avec les verbes entre parenthèses à la forme négative.

Non ! Je *ne m'appelle pas* (s'appeler) Angela Würner.

Je .... (être) allemande

et je .... (parler) allemand.

Mon ami et moi, nous ....

(habiter) à Lyon. Les informations ....

(être) correctes !

3. 🎧▸26 Écoutez et répondez négativement à l'oral.

Exemple : *Vous habitez à Brasilia ? Non, je n'habite pas à Brasilia.*

> **Les verbes *habiter, visiter, aller***

4. Par deux. À l'oral, faites un maximum de phrases avec les éléments.

Exemple : *Je vais au club de conversation.*

Je Tu Vous
J'
Elle Nous Il
Elles Ils

habite habitons
allez vont
visitent visites
vais

la Nouvelle-Orléans.
au club de conversation.
dans le centre-ville. en Suisse.
à Luxembourg. le musée Rodin.
la Colombie.

> **Faire connaissance**

5. 🎧▸27 Mettez le dialogue dans l'ordre. Écoutez pour vérifier.

.... — Moi, c'est Luis.

.... — Merci !

.... — Tu es d'où ?

.... — D'Espagne, à côté de Madrid. Mais je n'habite pas en Espagne, j'habite en France maintenant.

.... — Je m'appelle Magali et toi ? Comment tu t'appelles ?

...1.... — *Salut ! Bienvenue au club de conversation !*

.... — Bientôt peut-être…

.... — Ah super ! Moi, je ne connais pas Madrid et je ne parle pas espagnol…

> **Sons du français**   Le son [z] et la liaison avec *nous, vous, ils, elles*

6. 🎧▸28 Écoutez et ajoutez les liaisons comme dans l'exemple.

Exemple : *Nous‿allons au café, et toi ?*

1. Vous étudiez où ?

2. Nous habitons à Lille.

3. Ils ont des vélos.

4. Nous allons en France cet été.

5. Elles habitent à l'hôtel ?

6. Vous êtes suisse ?

Nous agissons

7. 🎧▸29 Vous allez à un speak dating de conversation française. Écoutez et répondez aux questions d'une personne francophone.

8. Vous créez un groupe de conversation en français dans votre ville. Écrivez les informations pour faire la promotion.

Je parle le français

Où ? ....

Quand ? ....

Quel(s) objectif(s) ? ....

....

LEÇON **5** Nous couchsurfons

Nous nous évaluons

Parler d'un type d'hébergement

1. 🎧 ▸30 Écoutez et faites les activités. Vérifiez votre score p. 5 du livret.

a. Soulignez la réponse correcte.

Exemple : *C'est une conversation <u>amicale</u> / professionnelle.*

1. Les deux femmes partent / Nadia part en voyage.

2. Le vol / L'appartement / Le voyage est gratuit.

b. Vrai ou faux ? Cochez la réponse correcte.

Exemple : *Nadia va à Buenos Aires.* ☒ Vrai ☐ Faux   2. Nadia habite à Lausanne. ☐ Vrai ☐ Faux

1. Nadia vient de Buenos Aires. ☐ Vrai ☐ Faux   3. Nadia voyage à Lausanne. ☐ Vrai ☐ Faux

c. Associez.

- Gratuit

Hôtel • — Beaucoup de touristes

Échange d'appartement • — *Très cher*

- Expérience différente

d. Quelle est l'impression de Louise ?

....

e. Quelle est l'adresse du site Internet ?

....

Mon score ...... /10

Nous pratiquons

❯ Les adjectifs démonstratifs

2. Entourez l'adjectif démonstratif correct puis trouvez la réponse.

Exemple : ⓒ **Ce** / Cet type d'hébergement est gratuit. → *le couchsurfing*

1. Cette / Ce ville est dans le sud-ouest de la France. → ....

2. Cet / Cette hébergement est très cher. → ....

3. Cette / Ces personnes parlent français. → ....

4. Les Brésiliens parlent cette / ce langue. → ....

5. Ce / Ces fleuves passent à Lyon. → ....

6. Ce / Cet pays est à l'ouest de l'Espagne. → ....

❯ Le verbe *venir* pour exprimer l'origine géographique

3. Écrivez des phrases avec les éléments.

Je – venir – le Brésil → Je viens du Brésil.

1. Elles – venir – l'Italie ....

2. Nous   venir – la France ....

3. Il – venir – les États-Unis ....

4. Vous – venir – le Kenya ....

5. Tu – venir – l'Ukraine ....

6. Je – venir – le Danemark ....

4. 🎧▸31 **Écrivez la question puis écoutez pour vérifier.**

Exemple : *Vous venez de France ? Oui, nous habitons à Strasbourg.*

1. Il .... ? Oui, il habite à Istanbul.

2. Vous .... ? Oui, nous habitons à Essaouira.

3. Elles .... ? Oui, elles habitent à Miami.

4. Tu .... ? Oui, j'habite à Toronto.

5. Vous .... ? Oui, j'habite à New Delhi.

6. Elle .... ? Oui, elle habite à Madrid.

⟩ Les hébergements

5. Barrez l'intrus.

Exemple : *un appartement – ~~une cathédrale~~ – un hôtel*

1. accueillir – héberger – parler

2. écouter – aller – venir

3. visiter – adorer – voyager

4. une chambre – une banquette – un canapé

5. un couchsurfer – un étudiant – un voyageur

6. super – fantastique – cher

⟩ Sons du français [ə] et [e] pour désigner les mots au singulier ou au pluriel

6. 🎧▸32 **Écoutez dites si vous entendez [ə] – [e] ou [e] – [ə].**

Exemple : *ce pays – ces pays*

	Exemple	1	2	3	4	5	6
[ə] – [e]	✗						
[e] – [ə]							

Nous agissons

7. 🎧▸33 **Écoutez et répondez aux questions de l'agent de voyage.**

8. Participez à l'enquête : complétez le document.

http://www.impressionsvoyageurs.com

Traditionnel ou alternatif
répondez à notre grande enquête
sur les types d'hébergement !

Votre nationalité : ....

Votre âge : ....

Vos impressions sur :

▸ le couchsurfing : ....

▸ l'échange d'appartement : ....

▸ le camping : ....

▸ l'hôtel : ....

LEÇON 6 En route !

Nous nous évaluons

Comprendre et demander des informations sur un hébergement

1. Faites les activités a et b et vérifiez votre score p. 6 du livret.

a. Lisez l'annonce et complétez avec *qui*, *où*, *combien*, *quoi*.

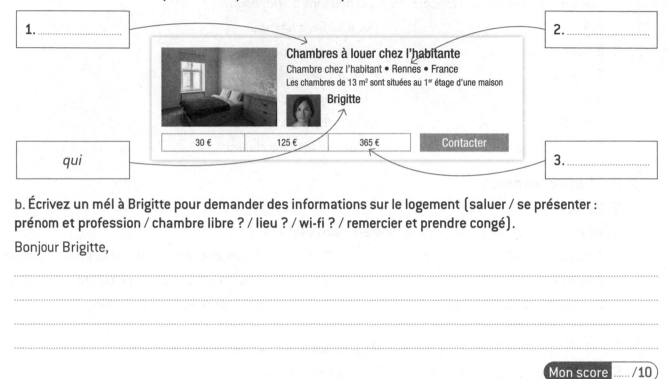

1. ....

2. ....

Chambres à louer chez l'habitante
Chambre chez l'habitant • Rennes • France
Les chambres de 13 m² sont situées au 1er étage d'une maison

Brigitte

| 30 € | 125 € | 365 € | Contacter |

qui

3. ....

b. Écrivez un mél à Brigitte pour demander des informations sur le logement (saluer / se présenter : prénom et profession / chambre libre ? / lieu ? / wi-fi ? / remercier et prendre congé).

Bonjour Brigitte,

....

....

....

....

Mon score ...... /10

Nous pratiquons

❭ Les lieux de la ville

2. Classez les mots comme dans l'exemple.

le jardin Majorelle, *un appartement*, l'école Auguste Renoir, l'Institut Français, l'hôtel La Mamounia, une chambre, le restaurant Azar, le bar du Lotus Club, le café des Épices, le marché de la place Jemaa El Fna, le musée de la Palmeraie, un studio, l'université Cadi Ayyad

Marrakech**City**Guide

Habiter *un appartement*

Visiter ....

Manger et / ou boire un verre ....

Étudier ....

> **Poser des questions**

3. **Par deux. Mettez les mots dans l'ordre pour poser des questions puis posez ces questions à un(e) étudiant(e). Il/Elle répond.**

Exemple : *habites – tu – où → Tu habites où ?*

1. dans la vie – tu – qu'est-ce que – fais → ....

2. es né(e) – tu – où → ....

3. tu – mexicain(e) – es → ....

4. est-ce que – parles – tu – anglais → ....

4. 🎧 H34 **Transformez comme dans l'exemple puis écoutez pour vérifier.**

Exemple : *Vous habitez ici ? → Est-ce que vous habitez ici ?*

1. L'appartement est dans le centre ? → ....

2. C'est intéressant la Maison de la Photographie ? → ....

3. Vous avez une connexion Internet ? → ....

4. La gare est loin ? → ....

5. Il y a des restaurants à côté de l'appartement ? → ....

6. Vous cherchez un hébergement sur Internet ? → ....

5. **Écrivez des questions avec « vous ».**

Exemple : *apprendre – quoi → Qu'est-ce que vous apprenez ?*

1. étudier – où → ....

2. faire du sport – quand → ....

3. louer – quoi → ....

4. habiter – où → ....

5. visiter – quoi → ....

6. aller – où → ....

6. **Par deux. Échangez avec un autre étudiant.**

1. Quel est ton quartier préféré ?   2. C'est où ?   3. Qu'est-ce qu'il y a dans ce quartier ?

Nous agissons

7. 🎧 H35 **Écoutez. Au téléphone, vous répondez aux questions d'un couchsurfer français.**

8. **Créez votre profil pour louer une chambre dans votre appartement.**

Moi	
Le logement	
Les +	
Le quartier	
Le prix	

Nous faisons connaissance

Compréhension orale

1 🎧▶36 Vous êtes dans un café avec Nicolas, un des étudiants de votre cours.
Nicolas fait la connaissance de Milena. Écoutez la conversation et répondez aux questions.

1. Milena est :
   a. italienne.
   b. indienne.
   c. hollandaise.

2. Dans la vie, Milena est :
   a. médecin.
   b. étudiante.
   c. traductrice.

5. Milena habite ....
....

3. Quel âge a Milena ?
   a. 28 ans.
   b. 35 ans.
   c. 38 ans.

4. Milena est :
   a. célibataire.
   b. fiancée.
   c. mariée.

Production orale

2 Vous posez des questions à Milena sur son pays, sa ville. Vous parlez aussi de votre pays et de votre ville. Vous dites les activités à faire et les choses à voir.

Production écrite

3 Milena va bientôt aller à Quimper pour deux semaines avec une amie. Vous vous renseignez pour elle. Vous écrivez à un de vos amis français pour lui poser des questions sur des possibilités de logements pas chers (type, situation géographique, nombre de chambres, budget…).
(30 mots minimum)

4 Vous voyez cette affiche à l'école de langues.
Vous voulez proposer à vos amis de l'école de langues de participer à cet événement.
Répondez aux questions :

JOURNÉE BRÉSILIENNE

Samedi 12 et dimanche 13 juillet de 11h à 21h

Venez nombreux fêter le Brésil !

Au programme :
Concerts de Kristele et Maria Gadù
Spectacle et cours de danse (samba, forrò, bossa nova, choro…)
Démonstration de batucada (groupes de musiciens)
Village brésilien avec des artistes et des artisans (produits locaux)
Dégustation de feijoada, plat traditionnel
Expositions de peintures et de sculptures
Ateliers pour les enfants

**Accès : métro ligne 14
Station Barbier
Bus n° 123 – 165**

**Tarif : 2,90€
Tarif réduit (étudiants) : 1,45€
Gratuit pour
les moins de 10 ans**

1. À quelle heure se termine la fête ? ....

2. Associez une activité du programme à un de vos amis de classe :

   a. Nicolas adore les chanteuses brésiliennes. ....

   b. Ivana veut apprendre des danses traditionnelles du Brésil. ....

   c. Juan veut découvrir la gastronomie brésilienne. ....

   d. Slimane aime l'art en général. ....

   e. Maria va venir avec les enfants de sa famille d'accueil. ....

3. Combien allez-vous payer l'entrée ?

   a. 0 €.

   b. 1,45 €

   c. 2,90 €.

4. Pour aller à la fête, vous pouvez prendre quels moyens de transport ?

LEÇON **1** En famille

Parler de la famille

1. Observez votre arbre généalogique et présentez votre famille. Vérifiez votre score p. 6 du livret.

a. Présentez vos parents.

b. Présentez vos frère(s) et sœur(s): prénoms, situations de famille, enfants.
Exemple : *Ma mère s'appelle Clara.*

a. Mon père s'appelle Henri. (1 point)
b. Mon frère s'appelle Hugo (1 point), il est marié (1 point). Sa femme s'appelle Ella (1 point).
Il a deux enfants (1 point) : son fils s'appelle Elliot (1 point) et sa fille s'appelle Anna (1 point). Ma sœur s'appelle Isabella (1 point), elle est célibataire (1 point), elle n'a pas d'enfant (1 point).

Henri   Clara

Ella   Hugo   **moi**   Isabella

Anna   Elliot

Mon score ...... /10

Nous pratiquons

⟩ La famille

2. Soulignez la réponse correcte.

Exemple : *C'est la sœur de ma mère.* → *C'est <u>ma tante</u> / ma cousine.*

1. C'est le frère de mon père. → C'est mon grand-père / mon oncle.

2. Ce sont les enfants de ma tante. → Ce sont mes cousins / mes frères.

3. C'est la mère de ma mère. → C'est ma cousine / ma grand-mère.

4. C'est le cousin de mon frère. → C'est mon oncle / mon cousin.

5. C'est le père de mon père. → C'est mon fils / mon grand-père.

6. Ce sont les filles de mon oncle. → Ce sont mes cousines / mes cousins.

⟩ Les adjectifs possessifs

3. Complétez.

1. Elle habite avec *son* père, ... mère, ... sœur et .... grands-parents.

2. Ils invitent *leur* famille, ... amis, ... collègues et .... professeur.

3. Dans *mon* sac, il y a une photo de .... mari et de .... enfants.

4. Nous accueillons *notre* famille : .... parents et .... grand-mère.

5. Vous connaissez bien *vos* cousins, ... oncle et .... tante ?

6. Tu préfères voyager avec *tes* parents, ... sœur ou .... frère ?

4. 🎧 ₘ037 **Écoutez et répondez à l'oral avec *oui*.**

Exemple : *C'est ta sœur ?* → *Oui, c'est ma sœur.*

5. Imaginez la question.

Exemple : *Où habite ta famille ?* Ma famille habite à Londres.

1. ....? Non, j'habite loin de mes parents.

2. ....? Oui, ma sœur et mon cousin étudient le français.

3. ....? Sa mère et sa tante sont francophones.

4. ....? Non, nos parents ne sont pas français.

5. ....? Oui, elle a des amis à Lille et à Paris.

6. ....? Leur grand-mère a 75 ans.

🔊 Sons du français   Les sons [e] et [ɛ]

6. 🎧 ₘ38 **Écoutez. Dites dans quel mot vous entendez [ɛ] et quelle consonne vient après [ɛ].**

Exemple : *C'est ta mère d'accueil ?* → *mère* = [ɛ] + r

1. ....   4. ....

2. ....   5. ....

3. ....   6. ....

Nous agissons

7. 🎧 ₘ39 **Écoutez et répondez aux questions d'un journaliste sur la famille.**

8. Présentez votre famille.

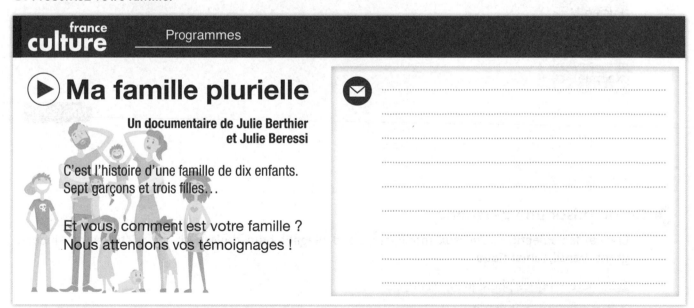

france culture   Programmes

▶ **Ma famille plurielle**

Un documentaire de Julie Berthier et Julie Beressi

C'est l'histoire d'une famille de dix enfants. Sept garçons et trois filles…

Et vous, comment est votre famille ? Nous attendons vos témoignages !

9. En France, les femmes ont leur premier enfant à l'âge de 30 ans en moyenne.
Elles ont 2 enfants en moyenne.
Comparez avec votre pays.

LEÇON **2** Concours de selfies

Comprendre la description de personnes

1. 🎧 ᴵ40 Écoutez le dialogue. Complétez puis vérifiez votre score p. 7 du livret.

a. Noémie présente .... à Antoine.

b.

Prénom	Relation familiale avec Noémie	Caractéristiques
Rita	*La mère*	
Lucien		
Paul		
Noémie		

Mon score ...... /10

Nous pratiquons

> **Caractériser une personne**

2. Classez les adjectifs : *généreux*, intelligent, *blond*, élégant, brun, drôle, petit, optimiste, calme, sincère, grand, gentil, romantique.

    1. Caractéristiques physiques : *blond*, ...

    2. Personnalité : *généreux*, ...

3. Barrez l'intrus.

Exemple : *authentique – ~~intelligent~~ – sincère*

    1. drôle – amusant – calme   **4.** sympathique – optimiste – gentil

    2. romantique – cool – décontracté   **5.** blond – intelligent – grand

    3. bruyant – ~~généreux~~ – agité   **6.** cultivé – petit – brun

> ## Les adjectifs qualificatifs

4. Complétez les trois cartes de la famille sympa avec les adjectifs comme dans l'exemple.

La famille sympa	La famille sympa	La famille sympa	La famille sympa
Les filles	**Le père**	**La mère**	**Les grands-parents**
généreuses,	....	....	....
gentilles,	....	....	....
sportives,	....	....	....
brunes	....	....	....

5. 🎧▸41 Écoutez et répondez.

    a. Transformez au féminin et prononcez les phrases.

Exemple : *Valentin est généreux. → Valentine est généreuse.*

    b. Transformez au masculin et prononcez les phrases.

Exemple : *Julie est élégante. → Jules est élégant.*

> ## Les sons du français   Les voyelles nasales [ɛ̃], [ã], [ɔ̃]

6. 🎧▸42 Écoutez. Cochez quand vous entendez [ɛ̃], [ã] ou [ɔ̃].

Exemple : *C'est son enfant.* ☒

    1. ☐   2. ☐   3. ☐   4. ☐   5. ☐   6. ☐

Nous agissons

7. 🎧▸43 Écoutez l'émission de radio et répondez.

8. Vous acceptez de rencontrer Svetlana. Répondez dans un message et faites votre description.

facebook.

Université Paul Valéry – Montpellier

Salut !
Je m'appelle Svetlana et je suis ukrainienne. Je cherche des étudiant(e)s pour parler en français, faire des activités et visiter la ville. Je suis à la bibliothèque les après-midi. C'est moi la petite blonde avec le livre Cosmopolite 1. Je suis amusante, sympa, décontractée... et un peu bavarde :). Répondez-moi !
À bientôt.

....
....
....

9. En français, on ne prononce pas toutes les lettres. Comparez avec votre langue et les langues que vous connaissez.

Il a 18 an~~s~~. Il est gran~~d~~, blon~~d~~ et amusan~~t~~.

LEÇON 3 La France et nous

Répondre à une enquête et exprimer ses goûts

1. Répondez à l'enquête et vérifiez votre score p. 7 du livret.

VOYAGEURS COSMOPOLITES

Quelles sont les 10 destinations préférées dans le monde selon *Voyageurs cosmopolites* ?
Participez à notre enquête et rendez-vous dans un mois pour les résultats !

Ma ville préférée (écrivez la ville et le pays où elle est située) : ....

3 caractéristiques : .... , ... , ...

J' ♥

1 ....

2 ....

3 ....

Envoyez à :
Voyageurs cosmopolites
35, rue des Écoles
75006 Paris

Mon score ...... /10

Exprimer ses goûts

2. 🎧 ▸44 Écoutez et écrivez les adjectifs à la bonne place.

Exemple : *belle (adjectif positif)*

Adjectif +	*belle*	1	2	3	4	5	6
Adjectif −							

3. Complétez.

Exemple : *J'adore ♥♥♥♥ le Mexique !*

1. Nous .... ♥♥ les cours à la fac.

2. Elle .... ✖✖✖ le fromage.

3. Je .... ✖✖ visiter les musées.

4. Nous .... ♥♥♥ faire du shopping.

5. J'........................ ♥♥♥♥ aller à la plage.

6. Il .... ✖✖✖✖ les cuisses de grenouille.

4. **Écrivez le contraire.**

Exemple : *J'adore le sport.* → *Je déteste le sport.*

1. Je n'aime pas beaucoup la cuisine italienne. ....

2. Nous détestons cette ville. ....

3. J'aime bien ce quartier. ....

4. Je n'aime pas du tout voyager. ....

5. Nous adorons lire. ....

6. Nous aimons beaucoup visiter les monuments. ....

5. Par deux. **À l'oral, posez des questions à un(e) camarade sur ses goûts.**

Exemple : *voyager* → A : Est-ce que tu aimes voyager ? B : Oui, j'adore voyager.

1. Lire   4. Les musées
2. Faire du sport   5. Le foie gras
3. Aller à l'opéra   6. La cuisine chinoise

Les sons du français   Le son [ɛ]

6. 🎧 **45** **Écoutez. Dites dans quelle syllabe vous entendez [ɛ].**

Exemple : *J'aime bien.* → 1re syllabe.

1. ....   4. ....

2. ....   5. ....

3. ....   6. ....

Nous agissons

7. 🎧 **46** **Écoutez et répondez aux questions d'un(e) camarade.**

8. **Aidez Lucas à trouver une destination pour son voyage.**

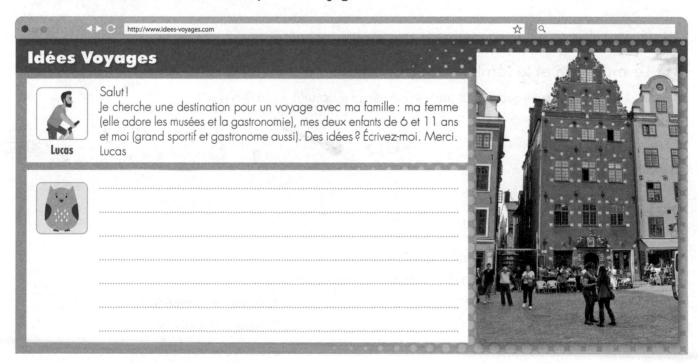

http://www.idees-voyages.com

Idées Voyages

Lucas

Salut !
Je cherche une destination pour un voyage avec ma famille : ma femme (elle adore les musées et la gastronomie), mes deux enfants de 6 et 11 ans et moi (grand sportif et gastronome aussi). Des idées ? Écrivez-moi. Merci.
Lucas

Nous nous évaluons

Comprendre un témoignage sur la profession, les rêves et les passions

1. Faites les activités a et b puis vérifiez votre score p. 8 du livret.

Portrait : Jorge, taxi francophile

Il tutoie les passagers et parle très bien la langue de Molière. Québécois ? Belge ? Suisse ? Français ? Eh non, Jorge est brésilien. Cet homme de 50 ans est un vrai francophile. Il travaille comme taxi à Rio et principalement avec des passagers francophones. Il informe les personnes sur les lieux à visiter, les restaurants où manger, les bars où boire un verre… Il organise aussi des visites guidées de la ville à bord de son agréable taxi. Jorge aime beaucoup ses passagers et les passagers adorent Jorge ! Décontracté et sympa, Jorge est le guide et le taxi idéal. Il rêve de venir en France parce que la culture française, c'est sa passion… Bientôt, peut-être…

a. Lisez l'article et complétez.

Exemple : *Prénom : Jorge*

Âge : .... Profession : .... Pays : .... Ville : ....

b. Vrai ou faux ? Soulignez.

Exemple : *Jorge habite en France. Vrai / Faux*

1. Jorge ne parle pas français. *Vrai / Faux*

2. Jorge est gentil. *Vrai / Faux*

3. Les clients de Jorge parlent anglais. *Vrai / Faux*

4. Jorge rêve de voyager en France. *Vrai / Faux*

5. Le contact avec les clients est difficile. *Vrai / Faux*

6. Jorge conseille ses clients. *Vrai / Faux*

Mon score ..../10

Nous pratiquons

Le masculin et le féminin des professions

2. H47 Écoutez et cochez : la profession est au masculin ou au féminin ?

		1.	2.	3.	4.	5.
masculin						
féminin	x					

3. Continuez les phrases comme dans l'exemple.

Exemple : *Linda est musicienne et son mari est musicien.*

1. Fiona est actrice et ....

2. Adeline est infirmière et ....

3. Leila est coiffeuse et ....

4. Edward est comédien et ....

5. Pietro est diplomate et ....

6. David est boulanger et ....

❯ Le présent des verbes en –er

4. Complétez la présentation de Sandra avec *appelle*, écoute, adore, rêve, parle, rencontre, habite, étudie, voyage, regarde.

Bonjour ! Je m'*appelle* Sandra et j'............................ (1) en Nouvelle-Zélande. J'............................ (2) l'histoire de l'art à l'Université. Je .... (3) de travailler dans un musée en Italie. L'Italie, c'est ma passion. Je .... (4) italien et je .... (5) en Italie tous les étés. Dans mon pays, je .... (6) des vidéos et j'............................ (7) de la musique en italien. J'............................ (8) la culture et la gastronomie italiennes. Je ne .... (9) pas beaucoup d'Italiens en Nouvelle-Zélande. Et vous, qui êtes-vous ? Écrivez-moi !

5. Par deux. **Écrivez des questions. Posez les questions à un(e) camarade.**

Exemple : *parler → Tu parles combien de langues ? Les gens parlent français dans ton pays ?*

1. Visiter ....
2. Regarder ....
3. Habiter ....
4. Aimer ....
5. Travailler ....
6. Voyager ....

❯ Les sons du français   Poser des questions

6. 🎧▶48 **Écoutez et cochez quand la voix monte à la fin de la question.**

Exemple : *Vous étudiez quoi ?* ☒   **1.** ☐   **2.** ☐   **3.** ☐   **4.** ☐   **5.** ☐   **6.** ☐

Nous agissons

7. 🎧▶49 **Écoutez et répondez aux questions d'un francophone.**

8. Présentez-vous au groupe « Francophiles du monde ».

Les soirées françaises de Düsseldorf

Vendredi, rendez-vous au Roter Salon pour écouter de la musique française, danser et rencontrer des francophones !

faceBOOK.

francophiles du Monde

Bienvenue dans le groupe ! Qui êtes-vous ? Où habitez-vous ? Que faites-vous dans la vie ? Vous avez des rêves, des passions ?

Nous nous évaluons

Comprendre un site web et présenter des activités

1. Faites les activités a et b puis vérifiez votre score p. 8 du livret.

Le
MONDE en
français

Nos cours ~

Nos villes de séjour

Français et sports ›

Français et arts

Nos tarifs

la voile

le basket-ball

la plongée

Vous aimez le français et la France ? Vous adorez faire de la voile, du basket-ball ou de la plongée ? Contactez-nous pour entrer dans le **MONDE** en **français**, l'école des étudiants sportifs !

Inscrivez-vous ou contactez-nous : contact@lemondeenfrancais.fr

a. Lisez puis soulignez la proposition correcte.

Exemple : *Le Monde en français est une agence de voyage / une école de langue française.*

1. Le Monde en français propose des cours de français / des cours de français, de sport et d'art / des cours de culture française.

2. Le Monde en français propose des cours et des séjours / des cours / des séjours.

3. Le Monde en français se trouve dans une ville / dans plusieurs villes.

4. Les tarifs sont sur le site web / ne sont pas sur le site web.

b. Choisissez trois activités artistiques et écrivez le texte de présentation pour la page « Français et arts ».

Nos cours ~

Nos villes de séjour

Français et sports

Français et arts ›

Nos tarifs

Contactez-nous pour entrer dans le **MONDE** en **français**, l'école ....

Mon score ....../10

Nous pratiquons

➤ Les activités sportives et artistiques

2. Trouvez et écrivez les activités avec l'article.

tidr*dessin*brova*tennis*mobasketginisculpturelipeinturepladansemufjaescaladetapiquiséquitationpruviolonjec

1. Activités sportives : *Le tennis,* ....

2. Activités artistiques : *Le dessin,* ....

3. Par deux. **Mimez deux activités artistiques et deux activités sportives. Votre camarade dit ce que vous faites.**

❯ Le verbe *faire* et les activités

4. Répondez aux questions avec les activités sportives et artistiques indiquées.

Exemple : Quelle est l'activité des Français ? → Ils font du football.

1. Quelle est ton activité ? ....

2. Et l'activité de ton ami ? ....

3. Et l'activité de tes camarades ? ....

4. Et l'activité de tes amis et toi ? ....

5. Et l'activité de ta professeure ? ....

6. Et l'activité de tes cousines ? ....

5. Trouvez et corrigez les 6 erreurs.

de,	Marie-José fait du l'athlétisme. Elle ne fait pas du saut, elle préfère faire des course à pied. Alain fait de la marathon. Il ne fait pas de l'athlétisme en France. Ils adorent faire de l'activités sportives mais ils ne font pas des activités artistiques !

❯ Les pronoms toniques

6. Complétez avec les pronoms toniques corrects.

1. *Moi*, j'apprends le français, et ...., tu aimes le français ?

2. ...., nous prenons le bus mais ...., ils préfèrent le vélo.

3. ...., elle fait du piano et ...., je fais du violon.

4. ...., elles sont sportives, et ...., vous faites du sport ?

5. ...., il parle français mais ...., elle parle italien.

6. ...., ils aiment le sport mais ...., elles préfèrent la musique.

Nous agissons

7. 🎧▸50 Écoutez et répondez à une enquête.

8. Écrivez votre témoignage sur la page web.

Étudiants et actifs !

Pour ne pas être stressé(e) : étudiez et faites du sport ou des activités artistiques !

Vous étudiez beaucoup, vous êtes fatigué(e)… Le sport, l'art et la culture sont importants pour rencontrer des amis, développer des passions et avoir l'énergie nécessaire pour les études !

Pour notre article de rentrée, envoyez votre témoignage : présentez vos études et vos activités sportives ou artistiques, dites pourquoi c'est important pour vous !

LEÇON 6 Vous avez mal où ?

Nous nous évaluons

Comprendre un problème de santé

1. 🎧 M51 Écoutez et complétez la fiche du médecin. Vérifiez votre score p. 8 du livret.

✚ LE MAGAZINE DE LA SANTÉ **FICHE PATIENT** **5** **Allodocteurs.fr** ○○○○○○ ▶

Prénom :	**Âge :**	**Profession :** ....

Symptômes : ....

....

....

Fièvre : OUI / NON

Conseils : ....

....

Mon score ...... /10

Nous pratiquons

❯ Les parties du corps

2. Trouvez et corrigez les six erreurs.

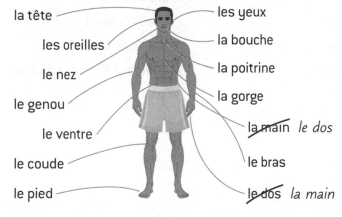

la tête
les oreilles
le nez
le genou
le ventre
le coude
le pied

les yeux
la bouche
la poitrine
la gorge
~~la main~~ *le dos*
le bras
~~le dos~~ *la main*

3. Louis est malade. Écrivez six symptômes.

Exemple : *Louis a mal à la gorge.*

1. ....

2. ....

3. ....

4. ....

5. ....

6. ....

❯ Les professions de santé et les problèmes de santé

4. Répondez aux questions.

Exemple : *Qui est l'assistante du médecin et répond au téléphone ? La secrétaire médicale.*

1. Qui est spécialiste du cœur ? ....

2. Qui soigne les dents ? ....

3. Qui soigne tout le corps ? ....

4. Qui opère les patients ? ....

5. Qui vend les médicaments ? ....

6. Comment s'appelle le/la « client(e) » d'un médecin ? ....

❯ Prendre rendez-vous

5. 🎧ᴵ52 **Remettez le dialogue dans l'ordre puis écoutez pour vérifier.**

.... – Quel est votre nom s'il vous plaît ?

.... – Merci. Demain à 14 heures, ça va ?

......*1*...... – *Cabinet du docteur Legrand, j'écoute !*

.... – Oui, 17 heures c'est parfait. Bonne soirée madame.

.... – Oui, bien sûr. Vous êtes une patiente du docteur ?

.... – Je m'appelle Christelle Erdin.

.... – Non, je travaille. Vous avez un rendez-vous à 17 heures ?

.... – Bonjour madame, je voudrais prendre un rendez-vous avec le docteur Legrand s'il vous plaît. C'est possible ?

.... – Oui.

.... – Merci ! Bonne soirée à vous aussi.

6. Écrivez les questions correctes.

Exemple : – *Vous êtes un patient du docteur Grandjean ?*

– Non, je ne suis pas un patient du docteur Grandjean.

1. .... ?

– J'ai mal aux pieds.

2. .... ?

– Non, je n'ai pas de fièvre.

3. .... ?

– Non, il n'y a pas de rendez-vous aujourd'hui.

Nous agissons

7. Lisez le message de Roman et répondez à ses questions.

Sujet : étudiant étranger malade en France.
Roman   Je suis étudiant de français. Je suis malade : où aller ? À l'hôpital ? Quel médecin soigne tout le corps ? Quelles sont les questions des médecins ? Merci !

8. 🎧ᴵ53 **C'est la visite médicale étudiante. Écoutez et répondez aux questions du médecin.**

9. En français, le vocabulaire médical vient du grec et du latin. Par exemple, l'oculiste est le spécialiste des yeux : *oculus* **= œil en latin. Cherchez des noms de médecins et comparez avec votre langue.**

Nous parlons la même langue

Compréhension orale

1 🎧▶54 Aujourd'hui, chaque étudiant doit présenter sa propre famille ou sa famille d'accueil à la classe. Écoutez la présentation de Slimane puis répondez aux questions.

1. Où habite la famille de Slimane ?

   a. Pays : ....

   b. Ville : ....

2. La famille de Slimane habite près de ....

3. Avec Slimane, il y a combien de personnes dans sa famille ?

   a. 4.

   b. 5.

   c. 6.

4. Complétez le tableau pour décrire et caractériser le frère et la sœur de Slimane :

	Frère	Sœur
Âge	....	....
2 caractéristiques	....	....
Que fait-il/elle dans la vie ?	....	....

Production orale

2 **a.** Maintenant, c'est à vous ! Présentez votre famille d'accueil à votre classe (où elle habite, combien de personnes il y a, les caractéristiques de chaque personne, leur âge et ce qu'elles font dans la vie).

b. Vous ne vous sentez pas bien, vous êtes chez le médecin. Vous expliquez votre état de santé (fièvre ? fatigue ?) et vous dites où vous avez mal.

3 Vous regardez le programme d'activités de votre école et les activités que vous pouvez proposer à vos amis.

Chant – Chorale
Lundi 17h-18h
Groupe limité à 15 participants
Salle 8

Atelier théâtre
Mercredi 17h30-18h30
Groupe limité à 15 participants
Salle 17 (1er étage)

Atelier peinture
Vendredi 15h30-16h30
Apporter son matériel
Petit salon au 2e étage

Escalade
Mardi et jeudi 18h-19h
Gymnase des Minimes
Inscriptions avant le 15 décembre

Cours de guitare
Lundi et jeudi 16h-17h
Apporter sa guitare
Salle Bleue, près de la cafétéria

1. Quelle activité proposez-vous à vos amis ?

   a. Nicolas est sportif : ....

   b. Slimane aime beaucoup les activités artistiques. Il est disponible le vendredi seulement : ....

   c. Ivana a une très belle voix. Elle adore chanter : ....

   d. Juan fait de la peinture mais il veut apprendre à jouer d'un instrument de musique : ....

   e. Maria veut devenir comédienne ou actrice : ....

2. Quelles activités on peut faire le lundi ?

   a. ....   **b.** ....

3. Quelles activités on peut faire le jeudi ?

   a. ....   **b.** ....

4. Où fait-on de l'escalade ? ....

5. Quelle est la date limite pour s'inscrire à l'escalade ? ....

6. À quelle heure finit l'atelier théâtre ? ....

7. Pour participer à l'atelier peinture, qu'est-ce qu'on doit apporter ? ....

8. Où se trouve la salle Bleue ? ....

4 Vous écrivez à vos amis pour leur présenter le programme d'activités de votre école de langues. Vous dites quelles activités sont proposées, quel jour et à quelle heure. (40 mots minimum)

Nous nous évaluons

Indiquer l'heure et la progression dans le temps

1. 🎧 ▶55 Présentez votre planning à un(e) camarade à l'oral. Écoutez et vérifiez votre score p. 9 du livret.

Exemple : *Lundi, **d'abord**, je travaille de 9 heures à 13 heures **puis**…*

DÉCEMBRE

Lundi	Mardi	Mercredi	Jeudi
9H-13H réunion de travail	16H30 cours de yoga	train pour Paris départ 6H54 gare St Pancras International – arrivée Paris gare du Nord 9H31	9H15 visite guidée du musée Rodin
14H30 Rendez-vous chez le docteur			12H30 Déjeuner avec Lila au Café des Anges
18H Cinéma : « Une vie à t'attendre »			15H45 Conférence sur la Francophonie

◁ ○ □

Mon score ..../10

Nous pratiquons

❯ **La journée**

2. Maddy est jeune fille au pair. Elle s'occupe d'Angelo (5 ans) et de Léa (2 ans). Regardez son planning et notez les actions pour chaque dessin.

Préparer le petit-déjeuner

1. .... 2. .... 3. .... 4. .... 5. ....

3. Par deux. À l'oral, posez des questions à un(e) camarade sur ses horaires.

Exemple : *Tu prends ton petit-déjeuner à quelle heure ?*

❯ Les articulateurs chronologiques

4. Présentez la journée de Maddy, la jeune fille au pair de l'activité 2. Utilisez *puis*, *d'abord*, *ensuite*, *après*.

Maddy est jeune fille au pair dans une famille française. Voilà sa journée : ....

....

....

....

5. 🎧᷍56 Écoutez et écrivez les jours et les horaires d'ouverture.

Exemple : Le Musée des Beaux-Arts de Quimper : *du mercredi au lundi / 9h30 – 12h00 et 14h – 18H*

1. Le restaurant « Au vieux Quimper » : ....

2. Le club « Le Majestic » : ....

3. L'office de tourisme : ....

❯ Sons du français   Dire l'heure

6. 🎧᷍57 Dites les horaires de manière formelle et informelle (attention aux liaisons et enchaînements) puis écoutez pour vérifier.

Exemple : *6h45 → Il est six heures quarante-cinq. Il est sept heures moins le quart.*

1. 19h30   **2.** 01H15   **3.** 20h10   **4.** 23h00   **5.** 07h40   **6.** 15h45

Nous agissons

7. Complétez votre planning avec 4 activités différentes.

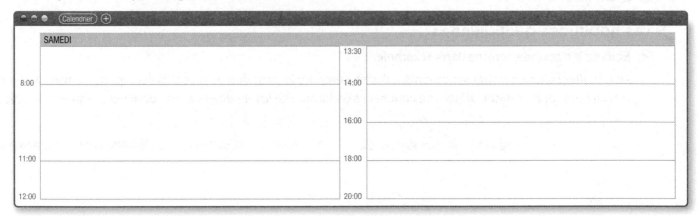

8. 🎧᷍58 Écoutez. Avec le planning de l'activité 7, répondez à votre amie.

9. En France, il y a l'heure d'été et l'heure d'hiver. Comparez avec votre pays.

été

hiver

LEÇON 2 Une journée « écolo »

Nous nous évaluons

Raconter sa journée

1. Regardez les dessins puis racontez votre journée. Vérifiez votre score p. 10 du livret.

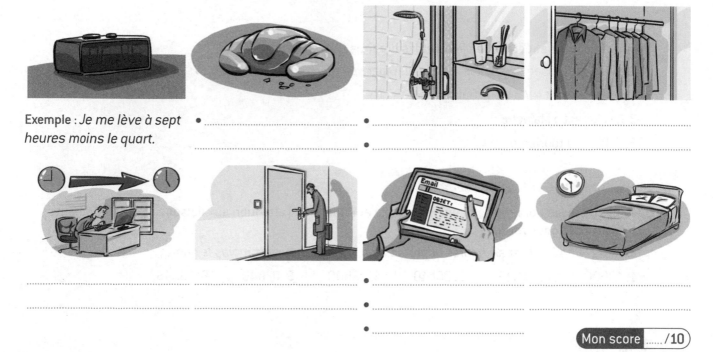

Exemple : Je me lève à sept heures moins le quart. • .... • ....

....

• ....

• ....

• ....

Mon score ...... /10

Nous pratiquons

❯ Les habitudes quotidiennes

2. Écrivez les actions comme dans l'exemple.

se réveiller ; aller chercher les enfants à l'école ; prendre le petit-déjeuner ; s'habiller ; quitter le travail ; aller au travail ; préparer le dîner ; dîner ; se coucher ; s'endormir ; se lever ; déjeuner ; se doucher ; rentrer à la maison.

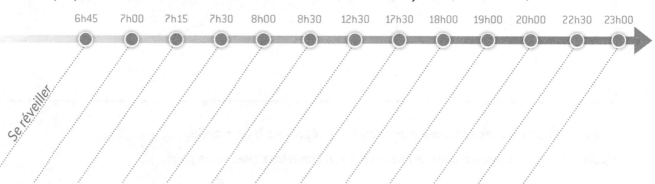

6h45   7h00   7h15   7h30   8h00   8h30   12h30   17h30   18h00   19h00   20h00   22h30   23h00

Se réveiller

3. Par deux. Parlez de vos habitudes à un(e) camarade.

Exemple : *Je me lève très tôt, vers 5h30.*

4. 🎧▶59 Qui dit ces phrases ? Écoutez et numérotez comme dans l'exemple.

Exemple : *Une sportive : personne n°1*   2. Une étudiante : personne n° ....

1. Un enfant : personne n° ....   3. Un père de famille : personne n° ....

❯ Les verbes pronominaux

5. Christelle raconte les habitudes de sa famille à une amie. Complétez avec : *se réveiller*, se coucher, se lever, se connecter, s'endormir et s'occuper.

Voilà les habitudes dans notre famille : moi, je *me réveille* à 6h45, je reste au lit 15 minutes puis je

.... (1) à 7h. Mon mari et moi, nous .... (2) des enfants après

l'école. Ma fille, Emma .... (3) à Internet quelques minutes avant de se coucher.

Mes enfants .... (4) tôt, vers 20h30 et ils .... (5) vers 20h45.

Et toi, tu .... (6) tôt le matin ? Tes enfants .... (7) tard le soir ?

Ton mari et toi, vous .... (8) à Internet ou vous préférez lire avant de vous coucher ?

❯ Sons du français   L'intonation pour exprimer des actions

6. 🎧▸60 Écoutez et complétez comme dans l'exemple avec ⌒ et ⌐ . Répétez les phrases avec la même intonation.

Exemple : Le matin, je me lève, je fais du sport et je travaille.

....

1. Le soir, nous rentrons à la maison, nous dînons et nous regardons un film.

....

2. L'après-midi, il fait la sieste, puis il se promène et il fait des courses.

....

3. Le matin, je me lève, je bois un thé, je prends une douche et je m'habille.

....

Nous agissons

7. 🎧▸61 Écoutez et répondez aux questions du médecin sur vos habitudes.

8. Lisez le sujet de *Voyageforum.com* puis écrivez votre témoignage.

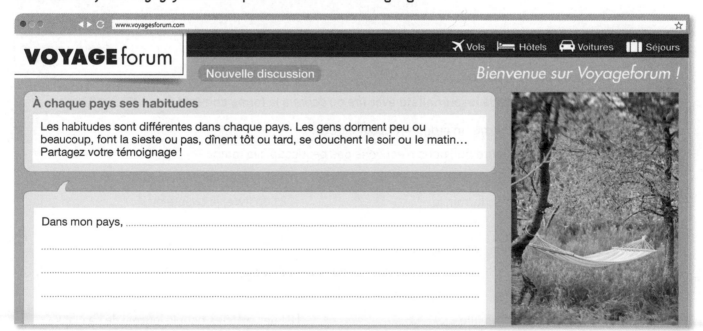

quarante-neuf   **49**

LEÇON 3 Une journée avec...

Comprendre un témoignage sur les activités quotidiennes

1. 🎧 ▶62 **Faites les activités a et b puis vérifiez votre score p. 10 du livret.**

a. Vrai ou faux ? Cochez la bonne réponse.

Exemple : *Ella parle de ses activités quotidiennes.* ☒ Vrai ☐ Faux

1. Ella est mariée. ☐ Vrai ☐ Faux

2. Elle ne travaille pas. ☐ Vrai ☐ Faux

3. Elle a un enfant. ☐ Vrai ☐ Faux

4. Elle travaille la journée à l'université. ☐ Vrai ☐ Faux

5. Elle se connecte à Internet le matin. ☐ Vrai ☐ Faux

6. Elle déjeune à la maison. ☐ Vrai ☐ Faux

b. Théo présente sa journée. Réécoutez et corrigez les erreurs.

Le matin, ma mère se réveille ~~parfois~~ avant moi. Elle écoute souvent la radio et regarde

.... *toujours* ....

toujours ses méls ou tchatte. Nous prenons le petit-déjeuner. Ensuite, je vais à l'école. Je reste

....

à l'école le matin de 9h à 13h. Ma mère travaille à l'université. Après l'école, je joue, je fais

....

une promenade avec ma mère ou je regarde parfois la télé. Nous dînons vers 19h. Je me

....

couche, je lis un livre et je m'endors vers 20h30.

Mon score ...... /10

❯ Les verbes *lire* et *écrire*

2. Complétez l'interview de la journaliste avec *lire* ou *écrire* à la forme correcte.

— Vous utilisez un stylo ou un ordinateur pour écrire ?

— Mon ordinateur. Aujourd'hui, nous n'*écrivons* pas beaucoup à la main.

— Que faites-vous le soir ? Vous .... (1) le journal, vous regardez un film ?

— Le soir, avant de m'endormir, je .... (2) un livre, je tweete ou j'... (3) un mél.

— Et vos enfants, ils aiment lire le journal ?

— Oui, ils .... (4) des journaux pour leur âge.

— Ils .... (5) aussi ?

— Mon fils, non. Mais ma fille .... (6) des articles pour le journal de sa classe.

3. Faites un maximum de phrases avec les éléments et conjuguez les verbes à la forme correcte.

Exemple : *Je lis des livres.*

Elsa   Je   Nous   lire   **des livres**

Les journalistes   écrire   des méls   des articles

Vous Tu   le journal

❥ L'habitude et la fréquence

4. 🎧▸63 Écoutez le témoignage de Linda et écrivez les moments de chaque action.

Exemple : *se réveiller → tous les matins à 6h45*

1. Préparer un bon petit-déjeuner → ....

2. Écrire des articles → ....

3. Regarder la télé → ....

4. Lire → ....

5. Cuisiner → ....

6. Faire du sport → ....

5. Parlez de vos activités quotidiennes avec un(e) camarade.

a. Par deux. Trouvez des points communs.

b. Notez vos points communs (utilisez *jamais*, toujours, souvent, parfois, le matin /l'après-midi /le soir, d'habitude).

Exemple : *Nous ne faisons jamais la sieste.*

1. ....   4. ....

2. ....   5. ....

3. ....   6. ....

Nous agissons

6. 🎧▸64 Écoutez et répondez à votre ami.

7. Répondez aux questions du journaliste.

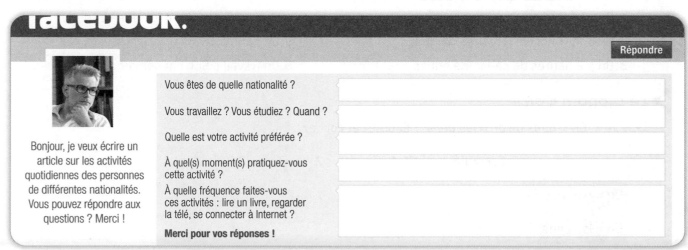

faceDOOR.

Répondre

Bonjour, je veux écrire un article sur les activités quotidiennes des personnes de différentes nationalités. Vous pouvez répondre aux questions ? Merci !

Vous êtes de quelle nationalité ?

Vous travaillez ? Vous étudiez ? Quand ?

Quelle est votre activité préférée ?

À quel(s) moment(s) pratiquez-vous cette activité ?

À quelle fréquence faites-vous ces activités : lire un livre, regarder la télé, se connecter à Internet ?

Merci pour vos réponses !

L'entreprise **TECHNIP** recherche pour son centre malaisien de **Kuala Lumpur** un(e) **ingénieur(e) bilingue français/ anglais.**

Semaine de travail : 5 jours par semaine de 9h à 17h45, du lundi au vendredi. Pause de 12h à 12h45. Restaurant d'entreprise sur place. **Vous êtes intéressé(e) ? Contactez-nous !**

Nous nous évaluons

Comprendre des informations sur une semaine de travail à l'étranger

1. Faites les activités a et b puis vérifiez votre score p. 11 du livret.

a. Lisez l'annonce puis cochez la bonne réponse.

Ce document est :

1. une offre de travail. ☐
2. une demande de travail. ☐

b. **Un ingénieur de Kuala Lumpur écrit à ses amis en France. Complétez le mél avec les informations de l'annonce.**

Salut les amis !

Tout va bien à .... (1) .... (2)! J'ai des collègues français

et malaisiens très gentils. Je peux parler .... (3) avec mes collègues français

mais je dois parler .... (4) avec mes collègues malaisiens. Ici, on doit travailler

.... (5) heures par semaine. Je ne travaille pas le .... (6).

Pour manger, je peux prendre une pause de .... (7) et je vais manger au marché

ou au .... (8).

Et vous, ça va ?

À bientôt.

Mon score ...... /10

Nous pratiquons

⟩ Le travail

2. **Soulignez ce qui est vrai dans votre pays.**

Dans mon pays, au travail,
Exemple : *on peut manger au bureau*.

1. On peut arriver et partir quand on veut.
2. On doit travailler 8 heures par jour.
3. On a 2 heures de pause-déjeuner.
4. On partage souvent le même bureau.
5. On parle souvent en anglais.
6. On travaille 50h par semaine.

⟩ Le pronom « on »

3. 🎧⊮65 *On = nous* ou *on = les gens* ? Écoutez et cochez.

	Exemple	1	2	3	4	5	6
On = nous							
On = les gens	✗						

4. Transformez les phrases avec *on*.

Exemple : *Les gens travaillent 42 heures par semaine. → On travaille 42 heures par semaine.*

1. En Hollande, les gens travaillent souvent à la maison. → ....

2. Dans cette entreprise, les gens parlent chinois. → ....

3. Iris et moi, nous partageons le même bureau. → ....

4. Avec nos collègues coréens, nous communiquons en anglais. → ....

⟩ Les verbes *vouloir, devoir, pouvoir*

5. Choisissez le verbe *vouloir*, *devoir* ou *pouvoir* et conjuguez à la forme correcte.

Exemple : *Nous devons travailler 38 heures par semaine. Et vous ?*

1. Au travail, je .... arriver et partir quand je .... Et toi ?

2. Nous .... arriver au bureau à 8h. Et vous ?

3. Les Japonais .... faire la sieste au travail. Et vous ?

4. Je .... travailler dans un pays étranger pour apprendre une autre langue, une autre culture du travail. Et toi ?

6. Par deux. Posez les questions de l'activité 5 à un(e) camarade. Il/elle répond à l'oral.

Exemple : *Dans mon pays, on doit travailler 38 heures par semaine. Et vous ? → Nous, on doit travailler 40 heures par semaine.*

⟩ Sons du français   Le son [ø]

7. 🎧 ᴺ66 Écoutez et cochez quand vous entendez le son [ø].

Exemple : *Oui, on peut.* ☒   1. ☐   2. ☐   3. ☐   4. ☐   5. ☐   6. ☐

Nous agissons

8. 🎧 ᴺ67 Vous participez à l'événement « Travailler à l'étranger ». Écoutez et répondez aux questions à l'oral.

9. Donnez des informations sur le travail dans votre pays (jours de travail, horaires, pauses, relation avec les collègues…) pour l'événement « Travailler à l'étranger ».

TRAVAILLER,
À L'ÉTRANGER

LEÇON 5 Sortir « à la française »

Comprendre une conversation entre Français sur les sorties

1. 🎧▸68 Faites les activités a et b puis vérifiez votre score p. 11 du livret.

a. Écoutez et soulignez les propositions correctes.

Exemple : <u>Soizic habite à Ho Chi Minh Ville</u> / Soizic veut habiter à Ho Chi Minh Ville.

1. Soizic est célibataire. / Soizic est mariée.

2. Ils cherchent des activités au Vietnam. / Ils font des activités au Vietnam.

3. Les sorties pour les francophones existent / n'existent pas.

4. Soizic préfère danser. / Soizic préfère les activités culturelles et le jazz.

b. Réécoutez puis écrivez le mél de Pierre à Soizic : faites quatre recommandations avec les verbes *devoir*, *pouvoir*, *sortir* et *choisir* et donnez les informations pratiques.

LES SORTIES DU MOIS
association des Français de Ho Chi Minh Ville

Concerts de jazz tous les week-ends au Sax N Art Jazz Club

Cinéma films français à l'Institut français (consultez le programme sur Internet)

Art musée des Beaux-Arts, du lundi au samedi

Rencontres littéraires tous les mercredis à la bibliothèque de l'IDECAF

À :	Soizic
Objet :	recommandations de sorties et informations pratiques

Mon score ..../10

Nous pratiquons

❯ Les verbes *choisir* et *sortir*

2. Utilisez *choisir* et *sortir* pour faire des phrases.

Exemple : *Les Français/souvent /au restaurant. → Les Français sortent souvent au restaurant.*

1. Nous/toujours/nos sorties/sur Internet. →..

2. Vous /au cinéma/avec vos amis/ce soir ? →..

3. Les étudiants/en discothèque/chaque samedi. →..

4. Je/parfois /un musée d'art moderne. →..

❯ Les questions en situations informelles/formelles

3. 🎧▸69 Écoutez et indiquez si les questions sont formelles ou informelles.

Exemple : *Quand allez-vous faire du sport? (formelle)*

1 :.................... 2 :.................... 3 :.................... 4 :.................... 5 :.................... 6 :....................

4. Classez les questions : à l'oral (informel) ou à l'écrit (formel).

1. Comment tu vas au théâtre ?
2. Avez-vous le programme du cinéma ?
3. Pourquoi choisis-tu ce restaurant ?

4. Avec qui tu parles ?
5. Quand sort-il en général ?
6. Le musée d'art moderne est où ?

Tu fais quoi le week-end ?

....
....
....

Quel cinéma

préférez-vous ?

....
....
....

❯ Les sorties

5. Par deux. Écrivez quatre phrases pour présenter les habitudes de sorties dans votre pays. Utilisez des expressions de fréquence différentes.

Exemple : *Les Taïwanais vont souvent au restaurant.*

1. ....
2. ....
3. ....
4. ....

❯ Sons du français   Le son [ɔ̃]

6. 🎧▸70 Écoutez et soulignez quand vous entendez le son [ɔ̃]. Puis répétez les phrases.

Exemple : *nous regardons un film.*

1. Pouvons-nous venir avec vous ?
2. Quel concert !
3. Combien coûte l'entrée ?

4. Nous écrivons au comité des lecteurs.
5. On sort avec Gaston.
6. C'est une librairie franco-hongroise.

Nous agissons

7. 🎧▸71 Écoutez et répondez à la question du jour de France Bleu.

8. Répondez à la demande de l'école française de Minneapolis-Saint Paul.

École française de MINNEAPOLIS-SAINT PAUL

Pour nous aider à préparer le programme de la semaine française, partagez vos expériences « à la française » !

Quelles activités pouvons-nous organiser ?

Des rencontres, des expositions, des films, etc. ?
Merci d'avance pour vos réponses !

Votre commentaire

....
....
....
....
....
....
....
....
....

LEÇON **6** Soyez les bienvenus !

Inviter un(e) ami(e)

1. Avec votre agenda, invitez un(e) camarade pour deux sorties dans un message téléphonique. Proposez d'inviter d'autres personnes et dites comment confirmer les sorties. Vérifiez votre score p. 12 du livret.

12 au **18** juin

Lundi	Mardi	Mercredi	Jeudi	Vendredi	Samedi
cours de français de 9h à 13h	cours de français de 9h à 13h	cours de français de 9h à 13h	cours de français de 9h à 13h	cours de français de 9h à 13h	13h-15h : pique-nique, parc
	17h-19h : conférence sur Anna Gavalda, médiathèque		16h-19h : beach-volley, plage		19h-21h : cinéma
	20h-22h : restaurant				

Mon score ...... /10

Nous pratiquons

❯ Proposer, accepter et refuser une sortie

2. Remettez le mél dans l'ordre.

.... À samedi, bises,

.... J'habite au 4, rue des Goélands. Prenez le bus jusqu'au port et marchez vers la gare.

.... La rue est à 5 minutes du port et la maison est sur votre gauche.

....1..... *Salut les amis !*

.... Apportez une spécialité de votre région, j'adore les dégustations !

.... J'ai une nouvelle maison ! Je veux fêter ça avec vous samedi à 20 heures !

.... Répondez à ce mél ou téléphonez-moi !

.... Astrid

3. 🎧 ▶72 Écoutez et dites quels sont les messages pour Astrid.

Messages pour Astrid : *1,* ....

❯ L'impératif pour inviter et donner des instructions

4. Dites si ces phrases sont des invitations ou des instructions comme dans l'exemple.

Exemple : *Préparons un gâteau pour l'anniversaire d'Ella !* → *Instruction*

1. Participez à nos activités tous les mercredis après-midi ! ....

2. Apporte quelque chose à boire ou à manger. ....

3. Viens au cinéma avec nous ! ....

4. Fêtons ensemble la semaine de la Francophonie ! ....

5. Prends la rue Marceau et tourne à droite rue Lépante. ....

6. Répondez vite, je dois organiser la soirée ! ....

5. Donnez des instructions : mettez le verbe à l'impératif.

1. C'est la semaine du sport ! .... (venir) nombreux mercredi à 14h !

2. Pour venir chez moi, ... (prendre) le bus !

3. J'ai une proposition : .... (parler) de notre club de langues à tous les étudiants de l'école !

4. Je vous invite à un pique-nique sur la plage. .... (répondre) par mél ou par téléphone, s'il vous plaît !

5. Tu es rue de la Préfecture ? .... (tourner) à gauche dans la rue Bunico, j'habite au numéro 14.

6. Nous allons à l'anniversaire de Tobias, ... (apporter) le dessert et les boissons !

Sons du français   Le son [y]

6. 🎧▸73 Écoutez et cochez quand vous entendez le son [y].

Exemple : *Vous êtes les bienvenus.* ☒   1. ☐   2. ☐   3. ☐   4. ☐   5. ☐   6. ☐

Nous agissons

7. Lisez et répondez au message de l'Association des étudiants francophones.

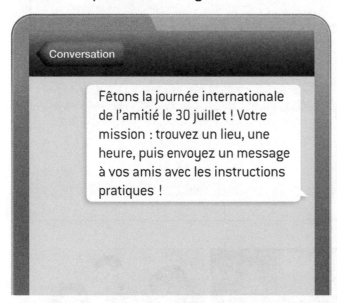

Conversation

Fêtons la journée internationale de l'amitié le 30 juillet ! Votre mission : trouvez un lieu, une heure, puis envoyez un message à vos amis avec les instructions pratiques !

Conversation

8. 🎧▸74 C'est bientôt la fin du cours de français. Écoutez l'étudiant et répondez à ses questions.

9. En français, on peut refuser une invitation mais on doit donner une explication, par exemple :
« Je suis vraiment désolée, j'ai un rendez-vous important. » ou « Je suis malade, je ne peux pas venir. »
Comment peut-on refuser une invitation dans votre pays ?

Nous parlons de notre quotidien

Compréhension écrite

1 Vous recevez ce mail de votre amie belge, Céline. Répondez aux questions.

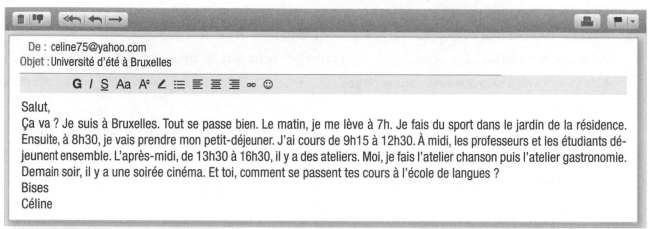

De : celine75@yahoo.com
Objet : Université d'été à Bruxelles

> G / S Aa A⁺ ∠ ≡ ≡ ≡ ≡ ∞ ☺

Salut,
Ça va ? Je suis à Bruxelles. Tout se passe bien. Le matin, je me lève à 7h. Je fais du sport dans le jardin de la résidence. Ensuite, à 8h30, je vais prendre mon petit-déjeuner. J'ai cours de 9h15 à 12h30. À midi, les professeurs et les étudiants déjeunent ensemble. L'après-midi, de 13h30 à 16h30, il y a des ateliers. Moi, je fais l'atelier chanson puis l'atelier gastronomie. Demain soir, il y a une soirée cinéma. Et toi, comment se passent tes cours à l'école de langues ?
Bises
Céline

1. Pourquoi Céline est à Bruxelles ? ....

2. Céline se lève à quelle heure ?

a. `07:00` b. `08:30` c. `09:00`

3. Qu'est-ce que Céline fait dans le jardin de la résidence ? ....

4. Complétez l'emploi du temps de Céline :

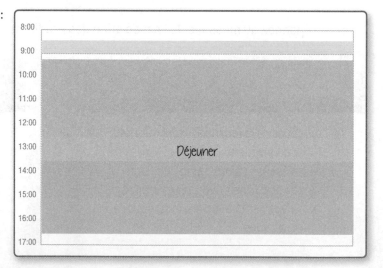

8:00	
9:00	
10:00	
11:00	
12:00	
13:00	Déjeuner
14:00	
15:00	
16:00	
17:00	

5. Qu'est-ce qu'il y a demain soir ?
Entourez la bonne réponse :

A

B

C

2 Vous répondez à Céline. Vous lui racontez une semaine habituelle à l'école de langue et vous parlez de vos activités après les cours (ce que vous faites et à quelle heure).
Voici votre emploi du temps (40 mots minimum) :

	Lundi	Mardi	Mercredi	Jeudi	Vendredi
8:00					
9:00					
10:00	cours de français	cours de français	cours de français	cours de français	cours de français
11:00					
12:00					
13:00	déjeuner	déjeuner	déjeuner	déjeuner	déjeuner
14:00	cours de français	cours de français	cours de français	cours de français	cours de français
15:00					
16:00					atelier peinture
17:00	cours de guitare			cours de guitare	
18:00		café des langues	atelier théâtre		
19:00					
20:00					

Compréhension orale

3 🎧▸75 Vous écoutez le message d'Ivana. Répondez aux questions.

1. Qu'est-ce qu'il y a jeudi soir ? ....

2. Ivana propose de vous retrouver :
   a. chez elle.
   b. au café des langues.
   c. devant l'école de langues.

3. Ivana termine l'atelier chant à quelle heure ? ....

4. Pourquoi Ivana ne peut pas proposer la sortie à Nicolas ? ....

5. Ivana vous demande :
   a. d'appeler Nicolas.
   b. d'écrire un mél à Nicolas.
   c. d'envoyer un sms à Nicolas.

Production orale

4 Vous rencontrez Ivana à l'entrée de l'école. Vous la remerciez pour sa proposition de sortie. Vous acceptez et vous demandez des précisions (heure du rendez-vous, heure du début de la soirée, prix de la soirée, comment vous allez à la soirée).

LEÇON 1 Apprendre autrement

Nous nous évaluons

Comprendre et raconter des événements passés

1. Faites les activités **a** et **b** et vérifiez votre score p. 13 du livret.

a. 🎧 N76 Écoutez le dialogue entre Jonas et son ami français et complétez le journal d'apprentissage de Jonas.

Jonas

La semaine dernière :

Exemple : *J'ai appris le passé composé.*

1

2

3

4

5

Mon score ...... /10

---

b. 🎧 N77 Et vous, qu'avez-vous fait pour améliorer votre français cette semaine ?
Regardez les dessins et répondez à l'oral. Écoutez pour vérifier.

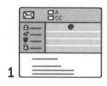 1
 2
 3
 4
 5

Exemple : *J'ai fait des exercices en ligne.*

Nous pratiquons

Indiquer un moment précis dans le temps

2. Lisez le blog et classez les activités des étudiants dans l'ordre chronologique.

Bonjour de Tübingen

BLOG Association des étudiants de français de l'Université de Tübingen

Nos activités ▼

Bonjour de Tübingen

Cette semaine, nous avons appris à cuisiner un repas avec un chef français (1).
Ce matin, nous avons organisé une conférence sur la littérature francophone (2).
La semaine dernière, nous avons visité le quartier français de Tübingen (3). L'année dernière, nous sommes allés à Aix-en Provence pour étudier la peinture de Cézanne (4). Hier, nous avons rencontré l'ambassadeur de France en Allemagne (5).

☐ ☐ ☐ ☐ ☐2

Le passé composé

3. Retrouvez les questions avec le verbe et le pronom proposés.

Exemple : *(écrire – tu – un article) Tu as écrit un article ? Oui, un article en français.*

1. (cuisiner – vous – un plat français) .... ? Non, un plat de mon pays.

2. (aller – il – où) .... ? À la médiathèque.

3. (apprendre – tu – quoi) .... ? Le passé composé.

4. (faire – ils – quoi) .... ? Un quiz sur la culture française.

5. (regarder – elle – un film) .... ? Oui, un film en français.

6. (sortir – elles – avec qui) .... ? Avec des amis français.

4. 🎧▶78 **Par deux. Écoutez et transformez à l'oral. Puis posez la question à un(e) camarade. Il/elle répond.**

Exemple : *Aujourd'hui, j'organise un dîner français.*

Étudiant A : *Ah, moi, j'ai organisé un dîner français hier ! Et toi, tu as aussi organisé un dîner français ?*

Étudiant B : *Non, je n'ai pas organisé de dîner français.*

5. **Anna écrit une carte postale à une amie. Identifiez et corrigez les erreurs.**

> Salut Louise,
>
> Comment vas-tu ? Moi, je suis à Saint-Malo. J'ai étudiée le français
>   étudié
> tous les matins. Je suis appris beaucoup de choses ! J'ai rencontrée des gens
>   J'ai
> intéressants. J'ai allée au Mont Saint Michel avec mes amis et nous sommes resté
>
> là-bas tout le week-end. Je ne suis pas parlé anglais. J'adore la Bretagne.
>
> A bientôt.
> Anna

Nous agissons

6. **Répondez au message d'un ami.**

> **Conversation**   Jiao Li
>
> Salut ! Je suis sorti au Club Mix hier soir, je suis rentré à 3 heures du matin ! Et toi, tu as fait quoi hier soir ?

> **Conversation**

7. 🎧▶79 **Une camarade n'est pas venue en classe la semaine dernière. Elle vous téléphone. Répondez à ses questions.**

LEÇON 2 Jeunes talents

Présenter des expériences récentes et des projets

1. Lisez la biographie des candidats du jeu télévisé *Les clés du Château* et présentez chaque personne, ses expériences récentes et ses projets. Vérifiez votre score p. 13 du livret.

LES CLÉS DU CHÂTEAU

Laëtitia RIVA, capitaine de l'équipe
Expériences récentes : publier un livre de yoga, rencontrer l'équipe olympique
Projets : participer à l'émission *Danse avec les stars*, courir un marathon

Karima BENFETTOUM
Expériences récentes : animer une émission de radio, écrire un livre sur le cinéma
Projets : présenter le journal du cinéma, aller au festival de Cannes

Alex MARQUANT
Expériences récentes : réaliser un film, faire la présentation de son nouveau film
Projets : proposer une Master class, adapter une comédie musicale

1. La capitaine Laëtitia RIVA :

Expériences récentes : *Elle vient de publier un livre de yoga et* ....

Projets : *Elle va participer à l'émission* Danse avec les stars *et* ....

2. Karima BENFETTOUM

Expériences récentes : ....

Projets : ....

3. Alex MARQUANT

Expériences récentes : ....

Projets : ....

Mon score ...... /10

❯ Le passé récent et le futur proche

2. 🎧▸80 **Écoutez et dites si chaque personne parle d'une expérience récente ou d'un projet.**

Exemple : *C'est l'acteur qui vient de recevoir un Oscar !* → *Expérience récente*

1. Expérience récente : .... **2.** Projet : ....

3. Réécoutez et transformez les expériences récentes en projets ou les projets en expériences récentes à l'oral.

Exemple : *C'est l'acteur qui vient de recevoir un Oscar !* (passé récent)
→ *C'est l'acteur qui va recevoir un Oscar !* (futur proche)

4. Présentez les expériences récentes et les projets de cinq personnes célèbres.

Exemple : *Elle vient de participer aux jeux Olympiques et de gagner la médaille d'or de judo.*
Elle va se préparer pour les prochains championnats du monde et va représenter la France.
C'est Émilie Andéol.

1. ....

2. ....

3. ....

4. ....

5. ....

❯ Le verbe *dire*

5. Complétez le dialogue avec le verbe *dire* au présent.

– En France, pour un match de football, on .... toujours « Allez les Bleus ! ». D'autres fans

.... « Vive la France ». Et dans votre pays, vous .... quoi ?

– En Islande, nous .... « Áfram Ísland ». Mais moi, je .... « Forza Azzurri » !

– Pourquoi tu .... ça ?

– Parce que j'adore l'équipe italienne !

❯ Sons du français   La prononciation de *il vient* [ilvjɛ̃] / *ils viennent* [ilvjɛn]

6. 🎧▸81 Écoutez et cochez si vous entendez [ɛ̃] ou [ɛn], puis répétez.

Exemple : *Il vient de partir.*   ☒ ɛ̃   ☐ ɛn

1. Il vient de finir.	☐ ɛ̃	☐ ɛn	**4.** Elle vient de dîner.	☐ ɛ̃ ☐ ɛn
2. Elles viennent de sortir.	☐ ɛ̃	☐ ɛn	**5.** Elles viennent de courir.	☐ ɛ̃ ☐ ɛn
3. Ils viennent de commencer.	☐ ɛ̃	☐ ɛn	**6.** Il vient de terminer.	☐ ɛ̃ ☐ ɛn

Nous agissons

7. Répondez à la demande de votre professeur sur le Padlet de classe.

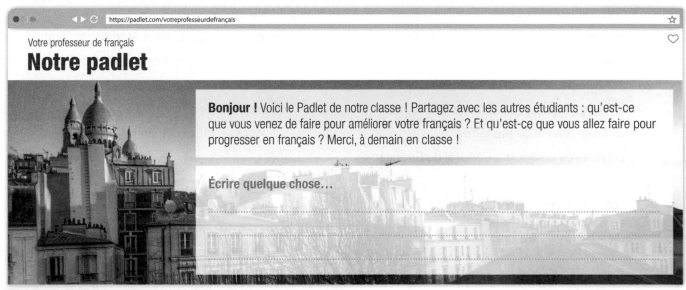

https://padlet.com/votreprofesseurdefrançais

Votre professeur de français
Notre padlet

Bonjour ! Voici le Padlet de notre classe ! Partagez avec les autres étudiants : qu'est-ce que vous venez de faire pour améliorer votre français ? Et qu'est-ce que vous allez faire pour progresser en français ? Merci, à demain en classe !

Écrire quelque chose…

8. 🎧▸82 Écoutez et répondez aux questions du journaliste.

LEÇON **3** Écrivains francophones

Comprendre des informations biographiques et les marqueurs temporels

1. 🎧 ▶83 **Écoutez l'émission de radio et répondez. Puis vérifiez votre score p. 14 du livret.**

Exemple : *Quand a-t-elle obtenu son diplôme de journaliste ? En 1995.*

1. Elle a travaillé combien d'années pour France Inter ? ....

2. À quel âge a-t-elle commencé à travailler à la radio ? ....

3. Quand s'est-elle arrêtée de travailler ? ....

4. Quand a-t-elle repris son travail ? ....

5. Quand a-t-elle décidé de revenir en France ? ....

Mon score ...... /10

Nous pratiquons

❯ Les marqueurs temporels

2. Écrivez la biographie de l'écrivaine Assia Djebar avec : *en,* **à l'âge de, deux ans plus tard, à, cinq ans plus tard.**

1936 : elle est née en Algérie – 1953 : elle a obtenu son baccalauréat – 1955 : elle est entrée à l'École Normale Supérieure – 1958 : elle a publié son premier roman « La soif » – 2000 : elle a reçu le prix de la Paix – 2005 : elle est entrée à l'Académie Française – 2015 : elle est morte à Paris

Assia Djebar est née en Algérie en 1936 ....

....

....

....

....

❯ Le passé composé

3. Voici des débuts de romans. Mettez les verbes au passé composé.

Exemple : *Lol V. Stein (naître) est née ici, à S. Tahla. (Le ravissement de Lol V. Stein, Marguerite Duras)*

1. Aujourd'hui, maman (mourir) .... Ou peut-être hier, je ne sais pas.
(*L'Étranger*, A. Camus)

2. Longtemps, je (se coucher) .... de bonne heure. (*Du côté de chez Swann*, M. Proust)

3. Toute ma vie, je (se faire) .... une certaine idée de la France.
(*Mémoires de guerre*, Général de Gaulle)

4. J'(posséder) .... une ferme en Afrique au pied du Ngong.
(*La Ferme africaine*, K. Blixen)

5. J' (rencontrer) .... la Reine des Renards en 1972, lorsqu'on (quitter)
.... le Connecticut pour s'installer en Californie. (*Les Filles sauvages*, P. Murphy)

6. Un jour [...], dans le hall d'un lieu public, un homme (venir) .... vers moi.
(*L'Amant*, Marguerite Duras)

4. 🎧▸84 Écoutez l'émission de radio puis complétez la chronologie de l'écrivain Dai Sijie. Utilisez les verbes : *naître*, entrer, s'installer, écrire, obtenir au passé composé.

Il est né en Chine en 1954. .... à l'université de Pékin en 1976.

.... en France en 1984. .... *Balzac et la petite tailleuse chinoise* en 2000. .... le prix Femina en 2003.

5. Observez le dessin et écrivez les verbes au passé composé : *aller*, *venir*, entrer, sortir, monter, descendre, arriver, partir, tomber, passer.

Elle est allée à l'école. *Elle est venue.*

❯ Sons du français Le *e* muet

6. 🎧▸85 Écoutez ces phrases. Soulignez la lettre *e* quand elle est prononcée. Barrez le *e* muet quand il n'est pas prononcé.

Exemple : *Le Clézio est un écrivain français. Ce samedi, il est au salon du livre.*

1. Jean-Paul Sartre et Simone de Beauvoir ont eu une histoire d'amour. Ils ont voyagé dans le monde entier.

2. Vous connaissez la biographie de Maupassant ? Il est né le 5 août 1850.

3. Félix Leclerc a écrit beaucoup de poèmes, de chansons et de romans. Il est vite devenu célèbre.

Nous agissons

7. Écrivez votre biographie pour le blog de votre classe de français.

NOTRE CLASSE DE FRANÇAIS

8. 🎧▸86 Vous participez à un jeu avec des amis. Écoutez et répondez à la question du jeu.

LEÇON 4 Un jour, un livre

ANNIE MILLER
Une femme à la redresse

Comprendre la présentation d'un personnage de livre

1. 🎧H87 Écoutez deux fois l'interview et répondez aux questions. Puis vérifiez votre score p. 14 du livret.

1. Comment s'appelle le personnage principal du livre ? ....

2. Quelle est la relation entre ce personnage et l'auteur du livre ? ....

3. Quelles informations sont données sur le personnage ?

   a. Sa taille : ....

   b. Sa silhouette : ....

   c. Ses cheveux : ....

   d. Ses yeux : ....

   e. Sa peau : ....

4. À qui ressemble le personnage principal ? ....

5. Quelles sont leurs ressemblances physiques ?

   a. ....

   b. ....

Mon score ..../10

Nous pratiquons

❯ Les livres

2. Présentez un livre de votre choix. Donnez des indications sur le titre, l'auteur, où et quand se passe l'histoire, et sur le personnage principal.

....

....

....

❯ La description physique

3. 🎧H88 Écoutez et associez les personnes à un dessin.

Exemple : *Elle, elle est blonde, ses cheveux sont courts et frisés.*

| | 1 | 2 | 3 | 4 | 5 |

a.

b.

c.

d.

e.

4. 🎧 ▸88 Réécoutez et transformez les descriptions comme dans l'exemple.

Exemple : *Lui, il est blond, ses cheveux sont courts et frisés.*

1. Elle, ...

2. Elle, ...

3. Lui, ...

4. Lui, ...

5. Elle, ...

5. Barrez l'intrus.

Exemple : *les cheveux : frisés – raides – ~~blancs~~*

1. les cheveux : longs – bouclés – courts

2. les yeux : bruns – marron – verts

3. la silhouette : musclée – châtain – mince

4. la taille : grand – fort – petit

5. les yeux : noirs – bleus – roux

6. la peau : blonde – mate – bronzée

6. Reformulez les descriptions. Plusieurs réponses sont possibles.

Exemple : *Nathalie est blonde, elle a les yeux bleus. → Nathalie a les cheveux blonds, ses yeux sont bleus. Nathalie est une blonde aux yeux bleus.*

1. Virgile est un grand brun et ses yeux sont gris.

....

2. Vlad et son père ont les mêmes yeux et les mêmes cheveux.

....

3. Avec mes cheveux roux et ma peau blanche, je ressemble à ma sœur !

....

4. Irma n'est pas grande, c'est une brune aux yeux marron.

....

Nous agissons

7. Lisez le document et répondez à l'annonce.

CASTING

Jouez dans une **vidéo publicitaire** et **gagnez un voyage** !

Envoyez votre présentation (description, personnalité, etc.) pour participer à notre casting !

....

....

....

....

8. 🎧 ▸89 Écoutez les questions et aidez la personne.

Nous nous évaluons

Comprendre des expériences présentes et passées, préciser, opposer et témoigner

1. Faites les activités a et b et vérifiez votre score p. 14 du livret.

a. Lisez les témoignages et complétez le tableau.

Mode de vie

TENDANCES

Inspiration multiculturelle et fusion sont des tendances actuelles.

Témoignages

« **M**on nom, c'est Brenda. Je suis kényane. J'ai une passion : la cuisine. Et j'ai de la chance, c'est mon métier ! J'ai un restaurant à Nairobi. L'année dernière, je suis allée en France et j'ai découvert la cuisine française. J'ai adoré ! Maintenant, je fais des recettes kényanes avec une touche de cuisine française. Les clients sont surpris mais contents. »

« **M**oi, c'est Andrew, je suis américain. J'ai appris le français à l'âge de 10 ans quand ma famille s'est installée à Biarritz en France. J'habite encore ici. J'écris des scénarios de films en français mais les histoires se passent toujours en Amérique. »

	Profession actuelle	Lieu de vie actuel	Événement important du passé	Opposition ou précision
Brenda	*Cheffe*			
Andrew				

b. Écrivez le 3ᵉ témoignage avec les informations.
Prénom : Ludovic / Profession : chanteur et musicien / Événement important du passé : séjour à Cuba de 2000 à 2010 / Opposition ou précision : chansons en français mais musique cubaine

....

....

....

Mon score ...... /10

Nous pratiquons

❯ La gastronomie

2. Par deux. Trouvez et écrivez dix mots de la gastronomie.

lorestaurantcagoûtlecuisinetrchefaditproduitionnétoileelleguidefplatusgastronomieiotablen

restaurant, ...

....

Mais : opposition ou précision

3. Dario, chef franco-italien, répond à une interview. Soulignez en rouge le mot *mais* quand il exprime une opposition et en bleu quand il exprime une précision.

Dario : Je suis né en Italie *mais* j'ai mon restaurant en France, à Nantes. Je propose une cuisine franco-italienne.

Journaliste : Mais c'est quoi la cuisine franco-italienne ?

Dario : C'est le mélange des produits mais c'est aussi le mélange des traditions. On propose des pizzas mais avec des produits français.

Journaliste : Et les Nantais aiment la cuisine franco-italienne ?

Dario : Oui ! Ils adorent. Mon restaurant est petit mais j'ai beaucoup de clients !

Parler d'événements passés et actuels

4. 🎧 ▶90 **Qui dit ces phrases ? Écoutez et numérotez.**

un étudiant : ......*1*......   un médecin : ....   un chef : ....   un peintre : ....

5. Lisez l'article. Mettez les verbes au présent ou au passé composé.

Fashion Mix : ils ont fait la mode parisienne !

Azzedine Alaia (être) *est* un styliste franco-tunisien. Il (s'installer) .... à Paris à la fin des années 50 et (apprendre) .... les techniques de son métier. Il (créer) .... sa marque en 1980. En 2011, il (entrer) .... dans la haute couture. Il (ne pas parler) .... beaucoup, (répondre) .... peu aux interviews, (ne pas faire) .... de promotion et (présenter) .... ses collections en privé.

Sons du français   La différence entre le présent et le passé composé

6. 🎧 ▶91 **Écoutez et choisissez. Ajoutez l'accent aigu si vous entendez le passé composé.**

Exemple : J̶ / J'ai adoré cette exposition.

1. J' / J'ai aime ce film.

2. Je / J'ai décide de lire ce livre.

3. Je / J'ai déteste ce roman de science-fiction.

4. Je / J'ai cuisine seulement le soir.

5. Je / J'ai mange au restaurant avec mes amis.

Nous agissons

7. 🎧 ▶92 **Vous invitez une amie dans ce restaurant. Écoutez et répondez à ses questions.**

PARIS LOTUS

Cuisine fusion
franco-vietnamienne

5 rue Beaurepaire
75010 Paris

Tel : 01-98-09-45-89

8. Écrivez un avis sur un restaurant que vous aimez ou pas.

....

....

....

....

LEÇON 6 Informons-nous !

Parler d'événements passés et actuels

1. Faites les activités a et b puis vérifiez votre score p. 15 du livret.

a. 🎧♪93 Écoutez l'émission et soulignez la bonne réponse.

Exemple : *L'émission s'appelle France Culture / <u>La fabrique médiatique</u>.*

1. C'est une émission de radio sur les médias / la culture.

2. Bertrand Bonnet est directeur d'une radio / d'un magazine.

3. Il communique des conseils pour bien choisir / bien lire un magazine culturel.

4. Il y a peu / beaucoup de magazines.

5. Il est facile / difficile de trouver un bon magazine.

b. Réécoutez et écrivez les cinq conseils donnés par Bertrand Bonnet.

1. ....

2. ....

3. ....

4. ....

5. ....

Mon score ..../10

❯ La presse

2. Mettez les lettres dans l'ordre pour former un mot de la presse.

Exemple : *retti → un titre*

1. lajuorn → un ....

2. inezamga → un ....

3. clitear → un ....

4. oéurmn → un ....

5. courvtruee → une ....

6. kqioues → un ....

❯ L'impératif pour donner des conseils

3. 🎧♪94 Qui dit ces conseils et à qui ? Écoutez et numérotez.

Exemple : *Un professeur à ses étudiants : 1*

1. Une jeune femme à son groupe d'amis : ....

2. Un médecin à un malade : ....

3. Un guide à des touristes : ....

4. Une mère à son fils : ....

5. Un agent touristique à un voyageur : ....

6. Un dentiste à un patient : ....

4. Transformez ces mauvais conseils en bons conseils comme dans l'exemple.

Pour être en bonne santé :

Exemple : *Ne vous préparez pas de petit-déjeuner.* → *Préparez-vous un bon petit-déjeuner !*

1. Ne mangez pas de fruits. ....

2. Ne dormez pas beaucoup. ....

3. Soyez stressé. ....

4. Buvez beaucoup de sodas. ....

5. Ne faites pas de sport. ....

6. Couchez-vous très tard. ....

5. Conjuguez les verbes à l'impératif et donnez des conseils aux parents.

Exemple : *(encourager) Encouragez vos enfants !*

1. (écouter) .... vos enfants !

2. (avoir) .... de la patience !

3. (faire) .... des activités avec eux !

4. (s'intéresser) .... à eux !

5. (être) .... gentils !

6. (ne pas hésiter) .... à demander conseil à vos parents !

6. Par deux. Écrivez trois conseils d'un patient à son médecin sur le modèle de l'activité 4.

Exemple : *(Avoir) Ayez une bonne relation avec vos patients !*

1. ....

2. ....

3. ....

Nous agissons

7. ⌂▶95 Louise, votre amie française, est partie à l'étranger il y a 2 mois. Elle vous téléphone. Répondez et donnez-lui cinq conseils.

8. L'université de votre ville publie un guide de survie pour les étudiants internationaux. Vous écrivez la partie en français avec des conseils (relations avec les professeurs, lieux pour rencontrer des personnes, achats, vie culturelle…).

9. Avec 4,5 millions de lecteurs chaque jour, *20 minutes* est le journal le plus lu de France. Et il est gratuit ! Et dans votre pays ?

Nous nous informons en français

Compréhension écrite

1 Votre professeur de français demande aux étudiants de votre cours d'écrire la biographie d'un écrivain francophone de votre choix. Vous cherchez sur Internet comment écrire une biographie. Lisez ces informations puis répondez aux questions.

Comment rédiger la biographie d'un écrivain célèbre ?

Une biographie est un petit texte. L'objectif de ce texte est de renseigner le lecteur sur la vie d'une personne célèbre.

1. Il faut d'abord chercher des informations sur la personne dans des dictionnaires et sur Internet.

2. Ensuite, il faut noter les informations importantes : nom, prénom, date et lieu de naissance et/ou de mort, origine familiale, études, métier(s), déroulement de sa vie (dates importantes), liste des principales œuvres et leurs dates (sa bibliographie).

3. Enfin, il faut écrire la biographie. Donner d'abord les informations générales de la personne. Puis parler de ses études et des événements importants dans sa vie. Enfin, présenter les œuvres principales.

Vous pouvez illustrer la biographie avec une photo de l'écrivain ou d'un de ses livres.

---

1. Qu'est-ce qu'on apprend avec une biographie ? ....

2. Avant d'écrire la biographie, qu'est-ce que vous devez faire ? ....

3. Vous devez écrire toutes les informations sur l'écrivain. Vrai ☐ Faux ☐

4. Il n'est pas nécessaire de dire à quelle date l'écrivain a écrit ses livres. Vrai ☐ Faux ☐

5. Quelles informations devez-vous donner au début de la biographie ?

....

6. L'article vous propose d'illustrer la biographie avec ....

Production écrite

2 Vous réalisez le travail demandé par votre professeur. À partir des éléments suivants trouvés sur Internet, écrivez la biographie d'Alain MABANCKOU (40 mots minimum) :

Alain MABANCKOU

Naissance : 24 février 1966, Pointe-Noire, République du Congo

Études de droit à Brazzaville

À 22 ans : obtient une bourse d'études – part pour la France

Études à l'université Paris-Dauphine – obtention d'un DEA

1995 : prix de la Société des Poètes Français

1998 : 1er roman *Bleu-Blanc-Rouge* – Grand Prix littéraire de l'Afrique noire

2002-2005 : enseignant de littérature francophone – université d'Ann Arbor (USA)

2006 à aujourd'hui : professeur de littérature francophone – université de Californie, Los Angeles (USA)

2006 : *Mémoires de porc-épic* – Prix Renaudot

2010 : *Demain, j'aurai vingt ans.* – Prix Georges Brassens

2015 : *Petit Piment* – Prix Liste Goncourt : le choix polonais 2015.

....

....

....

....

Compréhension orale

3 🎧►96 **Vous assistez à une soirée « littérature francophone » organisée par votre école de langues. L'invitée est la romancière Nancy Huston. Écoutez puis répondez aux questions.**

1. Nancy Huston est arrivée à Paris en quelle année ? ....

2. Quel âge avait Nancy Huston quand elle est arrivée en France ? ....

3. Nancy Huston est arrivée à Paris pour :
   a. visiter.
   b. étudier.
   c. travailler.

4. Quand Nancy Huston a rencontré son premier amour, il était :
   a. écrivain.
   b. étudiant.
   c. professeur.

5. Qu'est-ce que Nancy Huston a découvert à ce moment-là ? ....

6. Aujourd'hui, Nancy Huston écrit :
   a. seulement en anglais.
   b. seulement en français.
   c. en anglais et en français.

Production orale

4 **Vous avez aimé la soirée « littérature francophone » organisée par votre école de langues vendredi dernier. Vous racontez à un de vos amis cette soirée (ce qu'a dit Nancy Huston et ce que vous avez fait après la soirée avec vos amis). Vous avez gardé ce document :**

PARCOURS

1953 Naissance à Calgary, en Alberta (Canada).

1981 Premier roman, *Les Variations Goldberg* (Seuil).

1996 Prix Goncourt des lycéens et Prix du livre Inter pour *Instruments des ténèbres* (Actes Sud).

2006 Prix Femina et Prix France Télévisions pour *Lignes de faille* (Actes Sud).

2010 *Infrarouge*

2012 *Reflets dans un œil d'homme*

2013 *Danse noire*

2014 *Bad Girl*

2016 *Le club des miracles relatifs*

LEÇON **1** 100 % photo

Comprendre un programme de séjour linguistique et le présenter

1. Faites les activités **a** et **b** puis vérifiez votre score p. 16 du livret.

ÉCOLE FRANCO LINGUA

Programme spécial été

cuisine et français !

Cours de cuisine tous les après-midi (16:00-19:00)
❯ Rencontres avec des chefs
❯ Préparation d'un plat différent chaque jour

Cours de français tous les matins (09:00-12:00)
❯ 18 ans et +
❯ Classes internationales (8 à 12 étudiants maximum)
❯ Test le jour de l'arrivée

a. **Vrai ou faux ? Lisez le programme et répondez. Soulignez et justifiez vos réponses.**

Exemple : *Ce programme est proposé toute l'année. vrai / faux → programme spécial été*

1. Les cours de français sont le matin. *vrai / faux* ....

2. Il y a plusieurs nationalités dans les classes. *vrai / faux* ....

3. Il faut avoir moins de 18 ans pour participer au programme. *vrai / faux* ....

4. Il y a 15 heures de cours de cuisine par semaine. *vrai / faux* ....

b. **Vous participerez à ce programme l'été prochain. Utilisez le futur simple pour présenter à l'oral le programme « Cuisine et français » à un camarade.**

Exemple : *Nous aurons cours de français du lundi au vendredi.*

> Mon score ..../10

Nous pratiquons

❯ Le voyage

2. Mettez les différentes parties de la publicité dans l'ordre.

Ordre : 1, ..., 3, ..., 5, ..., 7, ..., 9, ...

| 1. | Participez à | 2. | des lieux extraordinaires. | 3. | Vous naviguerez sur | 4. | ce fantastique voyage ! |

| 5. | Vous ferez connaissance avec | 6. | un fleuve. | 7. | Vous vivrez | 8. | les populations locales. |

| 9. | Vous découvrirez | 10. | un moment magique. |

Le futur simple

3. Lisez le programme de visites « Venise en 3 jours » et conjuguez les verbes au futur simple.

Le premier jour, vous (prendre) *prendrez* le Vaporetto Place Saint-Marc. Vous .... (1)

(pouvoir) admirer les palais et le Pont des Soupirs. Le deuxième jour, vous .... (2)

(découvrir) Murano. Un guide.. (3) (informer) les voyageurs.

Le troisième jour, vous .... (4) (visiter) le Palais des Doges.

Enfin, vous .... (5) (finir) la journée par un apéritif.

À Venise, nous .... (6) (se faire) un plaisir de vous conseiller.

4. Choisissez une ville. Proposez un programme de visites d'une journée à un ami(e) comme dans l'activité 3.

Ville : .... Le matin, tu visiteras ....

....

....

L'obligation

5. Lisez le document et écrivez les modalités de participation. Utilisez les verbes : *écrire*, avoir, envoyer, être.

CONCOURS DE LITTÉRATURE JEUNESSE FRANCOPHONE

Thème : Voyages

Concours réservé aux étrangers

Date : avant le 31 janvier

Âge : entre 12 et 25 ans

Texte en français entre 2 et 5 pages

Pour participer, il faut écrire sur le thème des voyages ....

....

6. 🎧▶97 Possibilité ou obligation ? Écoutez et cochez.

Exemple : *Il faut avoir un passeport valide.*

	Exemple	1	2	3	4	5	6
Possibilité							
Obligation	✗						

Nous agissons

7. 🎧▶98 Vous organisez une soirée. Vous avez envoyé un SMS à un ami pour l'inviter. Écoutez et répondez à ses questions.

> Salut, voyage gastronomique chez moi samedi prochain. Tu viens ?

8. Vous avez loué votre appartement à des touristes français pour un week-end. Proposez un programme de visites.

....

....

....

....

LEÇON **2** Voyager autrement

Comprendre des informations sur une destination de voyage

1. 🎧 ►99 Écoutez deux fois et répondez aux questions. Vérifiez votre score p. 16 du livret.

1. Dans quel pays se trouve Jacqueville ? ....

2. Complétez pour préciser la localisation de Jacqueville.

Elle est située .... Abidjan, ... l'océan Atlantique,

à .... de la capitale.

3. Vrai ou faux ? Cochez.

a. C'est une ville animée. ☐ Vrai ☐ Faux

b. On y trouve beaucoup de grands hôtels. ☐ Vrai ☐ Faux

c. C'est une destination idéale pour la famille. ☐ Vrai ☐ Faux

d. On peut y faire du tennis et des promenades. ☐ Vrai ☐ Faux

4. Selon Lucie, quelles sont les caractéristiques des habitants de Jacqueville ?

Ils sont .... et ....

> Mon score ...... /10

Choisir une formule de voyage

2. Lisez et reconstituez ces deux publicités.
Écrivez les numéros des phrases proposées.

Voyage en mission en **HAÏTI**

Voyage en immersion à **MADAGASCAR**

Exemple : *Située dans la mer des Caraïbes, Haïti est une île magnifique.*

....

Exemple : *Madagascar se trouve à l'est de l'Afrique, on y parle français.*

....

1. Vous découvrirez la culture familiale locale :

2. Vous participerez à la vie des habitants et vous aiderez au développement :

3. Votre voyage permet aussi de financer le développement de routes pour aller à l'école.

4. Pour connaître la culture, vous dormirez chez l'habitant.

5. dans les écoles francophones, vous pourrez aider les professeurs !

6. préparation de spécialités en famille et promenades dans une nature extraordinaire !

Situer un lieu, décrire ses particularités

3. Regardez la carte p. 221 du livre.

a. 🎧▸100 Écoutez et identifiez les quatre pays.

1. ....   2. ....   3. ....   4. ....

b. À l'oral, situez la Bulgarie et la Lettonie.

❯ Le pronom *y* pour remplacer un lieu

4. Transformez les réponses. Utilisez *y* pour éviter la répétition. Barrez les mots remplacés par *y*.

Exemple : – Tu es déjà allé en Afrique ?
*– Non, mais je fais un stage ~~en Afrique~~ l'année prochaine. → Non, mais j'**y** fais un stage l'année prochaine.*

1. – Vous allez au Vietnam pour aider une association ?

 – Oui, je vais au Vietnam chaque année. → ....

2. – Mes parents veulent organiser un voyage en Égypte.

 – Ils visiteront quelles villes en Égypte ? → ....

3. – Nous voulons organiser un voyage en France pour les étudiants.

 – C'est parfait : ils pratiqueront le français en France ! → ....

4. – C'est une belle ville, Naples ?

 – Oui, et on mange les meilleures pâtes à Naples ! → ....

5. – Je rêve de visiter l'Ethiopie.

 – Moi aussi, je voudrais aller en Ethiopie ! → ....

6. – Tu connais la langue parlée au Sri Lanka ?

 – Oui, on parle le cingalais et le tamoul au Sri Lanka. → ....

Nous agissons

5. Répondez à cette demande d'Adeline.

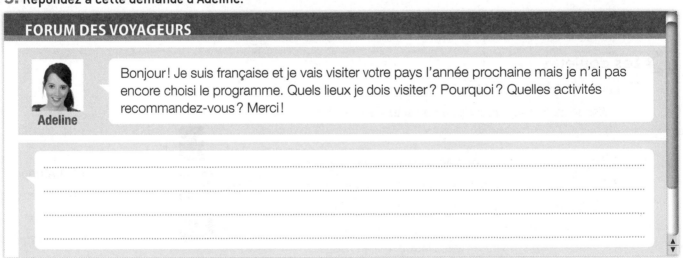

FORUM DES VOYAGEURS

Adeline

Bonjour ! Je suis française et je vais visiter votre pays l'année prochaine mais je n'ai pas encore choisi le programme. Quels lieux je dois visiter ? Pourquoi ? Quelles activités recommandez-vous ? Merci !

6. 🎧▸101 Écoutez et répondez au professeur.

7. En français, on utilise « y » pour remplacer un lieu (J'habite à Nice → j'y habite) (Je vais au Pérou → j'y vais). Comparez avec votre langue.

LEÇON **3** Tour de France

Comprendre la description d'une ville

1. Faites les activités a et b puis vérifiez votre score p. 17 du livret.

a. 🎧♫102 Écoutez le journal à la radio. Localisez les 3 villes sur la carte p. 220 du livre et écrivez le nom et le numéro de la ville.

....

b. **Réécoutez et corrigez les erreurs comme dans l'exemple.**

Quitter Paris, oui mais pour aller où ?

Angers, <u>grande</u> *petite* ville au bord de la Maine, est intéressante pour les logements pas chers, la grande offre

<u>de travail</u> .... et la vie <u>économique</u> .... très dynamique. Grenoble

est la ville parfaite pour les <u>enfants</u> .... – ils sont 58 000 ! – avec de bons transports,

<u>les rivières</u> .... à côté et beaucoup de loisirs. On conseille aussi Montpellier, ville

jeune et attractive, située <u>au bord</u> .... de la mer Méditerranée avec une situation

géographique exceptionnelle, un ciel <u>souvent gris</u> .... et des petites rues où on peut

se promener à pied… Elle est idéale pour les <u>jeunes couples</u> ....

Mon score ..../10

❯ Les couleurs

2. Lisez les descriptions des étudiants.

a. Associez chaque description à un drapeau et à un pays.

1. *Le drapeau de mon pays est vert, blanc et rouge.* •
2. Le drapeau de mon pays est bleu, blanc et jaune. •
3. Le drapeau de mon pays est marron et blanc. •
4. Le drapeau de mon pays est bleu, blanc, • vert, jaune, noir et rouge.

• a. L'Afrique du Sud
• b. L'Argentine
• c. *L'Italie*
• d. Le Qatar

b. **Décrivez le drapeau de votre pays.**

3. 🎧►103 Écoutez ces devinettes et identifiez la couleur.

Exemple : *vert*

1. .... 4. ....

2. .... 5. ....

3. .... 6. ....

❯ La ville et les couleurs

4. Par deux. Décrivez une ville à un(e) camarade à l'oral. Il/elle montre la ville.

❯ La place de l'adjectif

5. Paris est candidate pour accueillir les jeux Olympiques de 2024.

a. Complétez la candidature de Paris avec un maximum d'adjectifs.

Oui pour Paris 2024 !

Paris est la capitale de la France. C'est une grande et belle ville ....

....

b. Décrivez l'une des deux autres candidates pour 2024 : Los Angeles ou Budapest.

Oui pour .... 2024 !

....

....

....

Nous agissons

6. 🎧►104 Écoutez et répondez à votre camarade sur les villes du monde.

7. L'office de tourisme de votre ville vous demande de participer à la rédaction de la brochure touristique en français. Décrivez votre ville (situation, histoire, monuments, paysages, cuisine…).

....

....

....

....

8. Les couleurs ont différentes significations. Comparez avec votre pays.

En France : le blanc = la pureté, le mariage – le noir : la mort, l'élégance – Le vert : la chance – le rouge : l'amour

Dans mon pays : ....

....

LEÇON 4 Séjour au Maroc

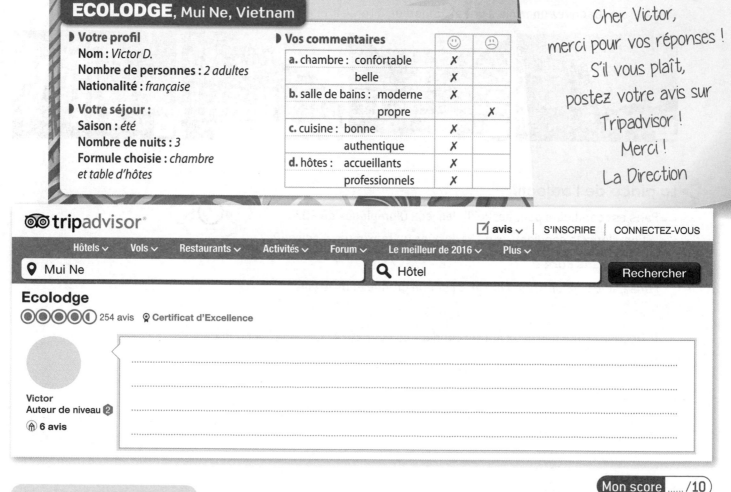

Nous nous évaluons

Décrire et commenter une formule d'hébergement

1. Lisez cette enquête complétée par Victor. Publiez son avis sur Tripadvisor. Donnez des informations sur le profil, le séjour, et les commentaires. Vérifiez votre score p. 17 du livret.

ECOLODGE, Mui Ne, Vietnam

▶ **Votre profil**
Nom : *Victor D.*
Nombre de personnes : *2 adultes*
Nationalité : *française*

▶ **Votre séjour :**
Saison : *été*
Nombre de nuits : *3*
Formule choisie : *chambre et table d'hôtes*

▶ **Vos commentaires**

		☺	☹
a. chambre :	confortable	✗	
	belle	✗	
b. salle de bains :	moderne	✗	
	propre		✗
c. cuisine :	bonne	✗	
	authentique	✗	
d. hôtes :	accueillants	✗	
	professionnels	✗	

*Cher Victor,
merci pour vos réponses !
S'il vous plaît,
postez votre avis sur
Tripadvisor !
Merci !
La Direction*

tripadvisor®

☑ **avis** ⌄ | S'INSCRIRE | CONNECTEZ-VOUS

Hôtels ⌄   Vols ⌄   Restaurants ⌄   Activités ⌄   Forum ⌄   Le meilleur de 2016 ⌄   Plus ⌄

📍 Mui Ne   🔍 Hôtel   **Rechercher**

Ecolodge
◉◉◉◉◉ 254 avis 📍 Certificat d'Excellence

Victor
Auteur de niveau ❷
🏠 **6 avis**

Mon score ...... /10

Nous pratiquons

Décrire un hébergement

2. 🎧105 Écoutez et choisissez le type d'hébergement des touristes.

Maison d'hôtes : ....

Autre hébergement : *exemple,* ....

3. Par deux. À l'oral, posez des questions pour vous informer sur le logement de votre camarade : nombre de pièces, couleurs, pièce(s) préférée(s).

Exemple : *Tu habites dans un appartement ? ... Il y a combien de pièces ? ...*

❯ La place des adjectifs pour caractériser

4. Complétez cette description avec les adjectifs avant et/ou après le nom. Attention aux accords !

Vous partez pour la Côte-d'Ivoire ? Bienvenue dans notre *belle* ville (beau) d'Assinie ! Notre ....

maison .... (magnifique) d'architecte est parfaite pour les voyageurs à la

recherche de .... vacances .... (authentique). Face à

l'océan, admirez la .... vue .... (merveilleux) et profitez

d'un .... moment .... (agréable). Dans la maison, passez

du temps avec notre .... personnel .... (accueillant) :

Méliane, notre .... cuisinière .... (excellent) et Raoul, notre

.... guide .... (local).

❯ Le présent des verbes en *–ir*

5. Complétez le dialogue avec les verbes au présent de l'indicatif.

– Résidence Lagon Vert, bonjour !

– Bonjour Madame, je voudrais quelques informations. Mon mari et moi (réfléchir) ....
à une formule originale pour nos vacances. Votre résidence (offrir) .... des services
d'éco-tourisme ?

– Oui, si vous (choisir) .... une formule aventure, nous (offrir)
.... un séjour mixte : vous (dormir) .... trois nuits dans
la résidence puis vous (partir) .... deux jours avec notre guide : vous (découvrir)
.... la montagne et vous (dormir) .... dans un village !
Les habitants (accueillir) .... les touristes chez eux !

– C'est très intéressant, merci. Les réservations (ouvrir) .... quand ?

– En septembre !

– Merci beaucoup !

Nous agissons

6. *J'irai dormir chez vous* est une émission de télévision animée par Antoine de Maximy. Il part seul dans
différents endroits du monde et s'invite chez les habitants pour dormir, afin de mieux connaître leur mode
de vie et leurs traditions. Répondez à l'annonce de France 5.

Écrivez à Antoine pour l'inviter chez vous et lui proposer un programme de découverte !

Votre message

7. 🎧❙106 Écoutez et répondez à ce touriste français.

LEÇON 5 Quand partir ?

Nous nous évaluons

Comprendre un bulletin météo

1.   107 Écoutez le bulletin
météo et complétez la carte
avec les températures et les
dessins, puis vérifiez votre
score p. 18 du livret.

Mon score ..../10

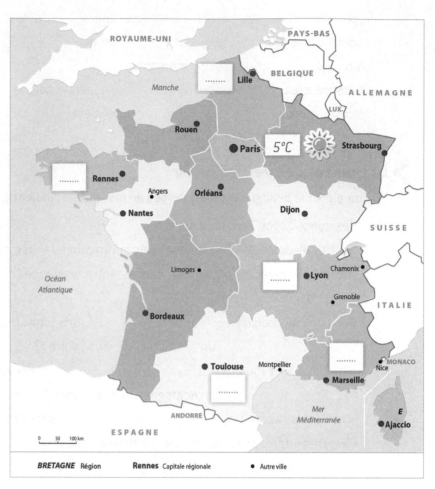

Nous pratiquons

> ### Le climat

2. Écrivez les contraires.

Un pays, 2 climats opposés :

Dans le sud : soleil, climat chaud et sec, températures élevées

Dans le nord : *pluie,* ....

3. 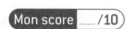 108 Des personnes décrivent le climat de leur lieu de vie. Écoutez et associez chaque lieu à son climat.

La Norvège	La Sicile	La Sibérie	La Thaïlande
1			

4. Lisez les réponses et retrouvez les questions.

Exemple : *Il fait humide ? → Non, sec.*

1. ....? Entre 25 et 30°C en été et entre 0 et 10°C en hiver.

2. ....? Non, doux et humide.

3. ....? Deux : sèche de novembre à avril et humide de mai à octobre.

4. ....? Non, elles sont élevées.

5. ....? Non, il fait beau.

6. ....? Non, elles sont très basses dans cette région.

❯ Faire une prévision météo

5. a. **Complétez les prévisions météo avec des verbes au futur simple.**

Voici les prévisions météo pour ce week-end pour le canton de Vaud en Suisse : samedi, en journée,

il (faire) *fera* entre 1°C et 5°C et il (pleuvoir) .... Mais pendant la nuit de samedi à

dimanche, les températures (descendre) .... sous 0°C et la pluie se (transformer)

.... en neige. Dimanche, on (pouvoir) .... profiter d'un beau soleil

mais les températures (rester) .... froides : entre -5 et -10°C.

b. Par deux. **Imaginez les prévisions météo de votre ville pour le week-end prochain.**

....

....

....

....

❯ Sons du français   La voyelle nasale [ã]

6. 🎧▸109 **Ecoutez et cochez quand vous entendez le son [ã].**

Exemple : *Quel vent !* ☒   1. ☐   2. ☐   3. ☐   4. ☐   5. ☐   6. ☐

Nous agissons

7. 🎧▸110 **Vous participez à une discussion sur le climat. Écoutez et répondez aux questions.**

8. Répondez aux questions d'un ami sur WhatsApp.

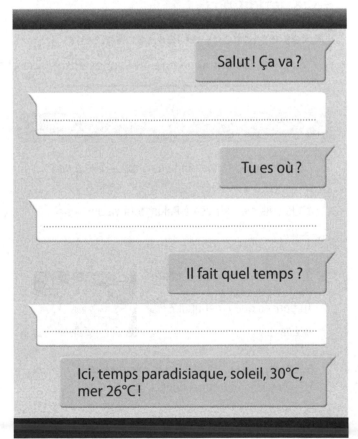

LEÇON **6** Carnets de voyage

Nous nous évaluons

Comprendre des émotions et écrire un carnet de voyage

1. Faites les activités a et b puis vérifiez votre score p. 18 du livret.

a. 🎧►111 **Écoutez la conversation entre Anne-Lise et sa mère puis répondez.**

Exemple : *Anne-Lise téléphone à qui ? Elle téléphone à sa mère.*

1. Où part Anne-Lise ? ....

2. Quand ? Anne-Lise part ....

3. Quelle est l'émotion d'Anne-Lise ? Anne Lise est ....

4. Quelle est l'émotion de sa mère ? Sa mère est ....

b. **Aidez Anne-Lise à écrire son carnet de voyage. Utilisez les éléments suivants.**

Des images : les monuments, la nuit, les bateaux sur la Seine **Des sons :** les langues de tous les pays

Un goût : les croissants **Une odeur :** le pain

Une musique : les musiciens dans le métro **Une sensation :** le vent chaud les soirs d'été

Je suis à Paris. Pour moi, Paris, c'est ....

....

....

....

| Mon score | ...... /10 |

Nous pratiquons

❯ Les émotions et les sentiments

2. Lisez les échanges de messages entre Élisa et Marius puis exprimez l'émotion ou le sentiment.

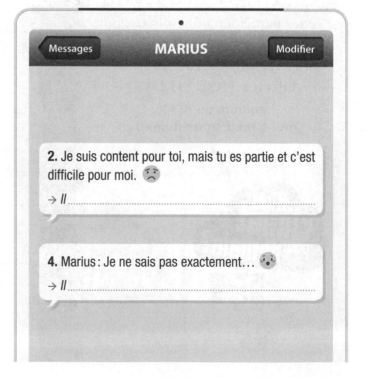

> Les sensations

3. Complétez l'extrait de ce carnet de voyage avec *regarder*, toucher, sentir (2 fois), voir, écouter, entendre, goûter.

Mon carnet d'Amérique

Regarder les informations sur BBC News, ...
l'odeur du café chaud, ... un bagel,
.... le bruit des voitures, ...
les taxis jaunes, ... Franck Sinatra chanter
New York New York, ... la neige toute fraîche
et .... le froid

4. Par deux. À la manière de « Mon carnet d'Amérique » (activité 3), choisissez un lieu, un moment et une saison puis écrivez votre texte.

....

....

....

> Sons du français   Les groupes consonantiques

5. ∩)112 Écoutez et dites dans quelle syllabe vous entendez un groupe consonantique.

Exemple : *C'est très beau* : 2   1. ....   2. ....   3. ....   4. ....   5. ....   6. ....

Nous agissons

6. ∩)113 Le magazine « Psychologies » propose un test à ses lecteurs. Un ami vous lit les questions. Écoutez et répondez.

7. Lisez le projet de la semaine de la Francophonie puis écrivez un texte.

LA SEMAINE DE LA
Francophonie

VOYAGES SENSORIELS !

À Londres, à Bangkok, à Bogotá, à Perth, à Bruges… Vous voyez, entendez, goûtez, sentez des choses différentes. Choisissez un lieu puis décrivez vos sensations et émotions. Nous publierons vos textes sur notre site !

....

....

....

8. ∩)114 Écoutez comment les Français expriment des sensations ou des émotions. Comparez avec votre langue et les langues que vous connaissez.

Nous rêvons d'aller
dans un pays francophone

Compréhension écrite

1 Votre école de langues propose des petits séjours de 2 ou 3 jours à ses étudiants.
Regardez les programmes puis répondez aux questions.

WEEK-END À LA ROCHELLE

Visitez La Rochelle
et l'île de Ré et passez
un week-end original.

Balade à cheval en forêt
et sur la plage ou balade
en voilier autour du célèbre
fort Boyard. Finis le bruit
de la ville et la pollution !

**Logement en famille
d'accueil.**

SÉJOUR À MONTPELLIER

Découverte de la ville
et de la gastronomie
locale avec le parcours
gourmand.

Découvrez l'histoire
de la ville et arrêtez-vous
pour déguster les produits
de la région et apprendre
leur fabrication.

Logez en chambre d'hôte.

SÉJOUR AU CAP D'AGDE

Passez trois jours de
détente dans un centre
de bien-être au
Cap d'Agde.

Cette station balnéaire
se trouve au bord de la
mer Méditerranée.

Découvrez les bienfaits
de la mer avec la
balnéothérapie.
Détendez-vous avec des
massages relaxants.

WEEK-END À TOURS

Située à une heure
de Paris en TGV, la ville
de Tours est agréable
et accueillante. L'hôtel
près de la gare facilite vos
déplacements.

Au programme :
visites de musées
et de châteaux de la Loire,
dîner dans le quartier
historique pour découvrir
les produits du terroir.

1. Quelles activités pouvez-vous faire à La Rochelle ?

....

2. Quels séjours proposent un logement chez l'habitant ?

....

3. D'après le programme, où se trouve le Cap d'Agde ? ....

4. Quelle est la particularité du séjour au Cap d'Agde ? Entourez la bonne réponse :

A

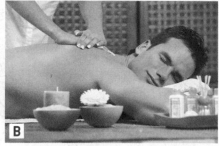

B

C

5. Vous voulez découvrir la gastronomie de la ville visitée. Quels séjours choisissez-vous ?

....

6. Quel séjour propose une découverte du patrimoine culturel et architectural en même temps ? ....

7. Pourquoi l'hébergement à Tours facilite les déplacements ?

....

Production orale

2 Vous êtes avec Slimane, un des étudiants de votre cours. Vous lui proposez de participer à un des séjours organisés par votre école de langues. Vous lui présentez le programme du séjour que vous avez choisi (descriptif de la destination, type de logement, activités) pour lui donner envie de venir avec vous.

Production écrite

3 Vous écrivez à un de vos amis francophones pour lui raconter votre séjour. Vous dites où et quand c'était, ce que vous avez fait. Vous donnez vos impressions, vous parlez du climat, du paysage et de ses couleurs. (40 mots minimum)

....

....

....

....

Compréhension orale

4 🎧115 Vous êtes dans un café avec Maria, une des étudiantes de votre cours. Elle rentre d'un voyage et vous raconte son séjour. Écoutez Maria puis répondez aux questions.

1. Maria a visité quel pays ?
   a. La France.   **b.** Le Canada.   **c.** Le Mexique.

2. Maria a visité...
   a. une ville.   **b.** deux villes.   **c.** plus de deux villes.

3. Quand elle a vu sa chambre à l'hôtel, Maria était...
   a. déçue.   **b.** surprise.   **c.** indifférente.

4. Quel était le climat pendant le séjour de Maria ? ....

5. Maria retournera visiter ce pays à quelle saison ? ....

6. Que fera Maria quand elle retournera dans ce pays ? ....

7. Pour Maria, le patrimoine culturel du pays qu'elle a visité est .... et ....

LEÇON 1 Manger français à Bogotá

Comprendre des avis sur un restaurant

1. Faites les activités a et b et vérifiez votre score p. 19 du livret.

   a. 🎧▸116 Écoutez les témoignages des clients du Comptoir Bio. Associez.

Joseph •	• vegan
Sophie •	• végétarienne
Léa •	• pas végétarien, pas vegan

   b. Réécoutez. Cochez les aliments que les trois clients peuvent manger.

	Poulet	Saumon	Pomme	Carotte	Riz	Fromage
Léa			X			
Joseph						
Sophie						

Mon score ...... /10

Nous pratiquons

❯ L'alimentation

2. Classez les plats : *soupe de poisson*, salade de fruits rouges, haricots verts, poulet au curry, salade verte, tiramisu à la framboise, canard à l'orange, épinards à la crème, saumon au citron.

> **Restaurant universitaire – UNIVERSITÉ DE RENNES**
>
> *Ce vendredi 17 avril, nous proposons :*
>
> | Entrées | Plats | Desserts |
> |---|---|---|
> | soupe de poisson, | viandes | |
> | | poisson | |
> | | accompagnements | |

3. Barrez l'intrus.

   Exemple : *framboise – fraise – ~~épinards~~*

   1. agneau – colin – bœuf
   2. fromage – carottes – petits pois
   3. pomme – citron – brocoli
   4. fraises – cerises – pommes de terre
   5. rillettes de canard – salade de fruits – mousse au chocolat
   6. filet de colin – cake aux fruits – pavé de bœuf

❯ Les articles indéfinis et partitifs

4. Complétez la critique du restaurant « Le Puy de la Lune » sur le site de La Fourchette avec : une, un, du, de la, des.

> **lafourchette**   🏛 CLERMONT-FERRAND ▼   ☆ | SE CONNECTER | AIDE ▼
>
> ## Les meilleurs restaurants à Clermont-Ferrand
>
> *Une* envie de cuisine française dans .... restaurant gastronomique ? Vous voulez dîner dans .... ambiance traditionnelle ? La Fourchette conseille *Le Puy de la Lune*. Vous y dégusterez .... saumon, ... bœuf, ... cuisses de grenouille et .... crème brûlée au citron vert ! .... café ou .... thé sont offerts le midi. Faites-vous plaisir ! .... restaurant au top et .... service parfait !

5. 🎧ᴵ117 Écoutez l'interview du Docteur Berger.

a. Écrivez les boissons et les aliments conseillés.

Le matin : *un thé*, ...

À midi : ....

Le soir : ....

b. Par deux. **Expliquez vos habitudes alimentaires à un(e) camarade à l'oral.**

Sons du français   Les sons [p] et [b]

6. 🎧ᴵ118 Écoutez et cochez : vous entendez [p]-[b] ou [b]-[p] ?

Exemple : *Ce poulet est bon.*

	Exemple	1	2	3	4	5	6
[p]-[b]	✗						
[b]-[p]							

Nous agissons

7. 🎧ᴵ119 **Vous êtes au restaurant « Chez Juliette ». Lisez le menu et répondez aux questions du serveur.**

CHEZ JULIETTE

MENU

ENTRÉES	PLATS	ACCOMPAGNEMENTS	FROMAGE	DESSERTS
Salade verte	Bœuf sauce fromage	Purée de carottes		Muffin au chocolat maison
Soupe de légumes d'hiver	Filet de colin	Petits pois		Panna cotta à la framboise

8. **Vous fêtez votre anniversaire et à cette occasion, vous organisez un repas chez vous. Écrivez le menu.**

MENU

ENTRÉES	PLATS	ACCOMPAGNEMENTS	FROMAGE	DESSERTS

LEÇON **2** La France à Budapest

Faire une liste de courses

1. Faites les activités a et b et vérifiez votre score p. 19 du livret.

a. Observez la recette et écrivez la liste de courses avec les quantités précises si nécessaire.

b. 🎧 H 120 Écoutez la conversation et complétez la liste d'ingrédients avec les quantités.

Gratin dauphinois en images

Courses à faire

du sel et du poivre

Mon score ..../10

Faire des achats

2. 🎧 H 121 Écoutez et dites qui parle.

Un vendeur/une vendeuse : *exemple*, …   Un client/une cliente : …

Exprimer des quantités précises

3. Indiquez la quantité précise de ces ingrédients.

Exemple : *une bouteille de 250 ml de vinaigre*

1. ....
2. ....
3. ....
4. ....
5. ....
6. ....

❯ Le pronom *en* pour remplacer une quantité

4. Dans ce dialogue au magasin d'alimentation, utilisez *en* quand c'est possible pour éviter les répétitions.

— Bonjour Madame, vous désirez ?

— Bonjour ! Je voudrais du saucisson de montagne, s'il vous plaît.

– *Vous voulez combien ~~de saucissons~~ ? → Vous en voulez combien ?*

– Je veux deux saucissons, s'il vous plaît. Je vais prendre aussi du fromage de vache.

....

– J'ai un morceau de 200 gr de fromage de vache, ça vous va ?

....

– Non, mettez seulement 150 gr de fromage de vache, s'il vous plaît.

....

– Très bien. Ce sera tout ?

– Non, je voudrais aussi des olives, vous avez encore des olives ?

....

– Ah, désolé Madame, je n'ai plus d'olives ! Elles arrivent la semaine prochaine !

....

5. Par deux. **Posez cinq questions à votre camarade sur ses habitudes alimentaires puis répondez à ses questions.**

Exemple : *Tu manges des fruits ? → Oui, j'en mange tous les jours.*
Tu manges du poisson ? → Non, je n'en mange jamais.

Sons du français **Les sons [ɛ̃] et [ɑ̃]**

6. ᯤ)122 **Écoutez et cochez si vous entendez les deux sons [ɛ̃] et [ɑ̃].**

Exemple : *J'en veux un, s'il vous plaît.* ☒ 1.☐ 2.☐ 3.☐ 4.☐ 5.☐ 6.☐

Nous agissons

7. Répondez au mél de votre ami.

Objet : Les ingrédients de ton dessert !

G *I* S Aa A⁺ ✎ ☰ ☰ ☰ ☰ ☰ ∞ ☺

Salut !
J'ai adoré ton dessert hier soir au dîner. Comment ça s'appelle ? Tu peux me donner les quantités précises pour les ingrédients, s'il te plaît ?
Merci, à bientôt !

....
....
....
....

8. ᯤ)123 **Écoutez et répondez à votre amie.**

9. En France, on exprime les quantités avec le poids (kilogrammes, grammes, etc.) pour les aliments et le volume (litres, millilitres, etc.) pour les liquides. Comparez avec votre pays et les pays que vous connaissez.

Comparer des pratiques

1. Faites les activités a et b et vérifiez votre score p. 20 du livret.

a. Lisez les deux profils puis comparez le profil de Pei au profil de Léo. Écrivez quatre comparaisons.

Lecture MAG

ZOOM SUR NOS CONSOMMATEURS

Pei, 20 ans, chinoise
Achats au mois de mars :
4 produits (3 romans, 1 DVD)
Prix total : 75 €

Léo, 42 ans, français
Achats au mois de mars :
5 produits (1 bande-dessinée, 4 DVD)
Prix total : 95 €

Exemple : Pei est plus jeune que Léo.

1. ....

2. ....

3. ....

4. ....

b. 🎧▶124 **Écoutez le dialogue entre Pei et un vendeur puis entourez le livre choisi.**

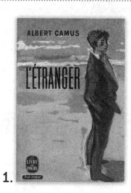

1.

2.

Mon score ...... /10

Faire des achats

2. Une cliente parle avec un vendeur dans un magasin de vélos. Mettez le dialogue dans l'ordre.

.... – Il coûte 999 €.

.... – Si. Je peux vous proposer le vélo de ville traditionnel. Il est à 375 €.

.... – Il y a le vélo électrique, c'est un très bon vélo.

....*1*.... – *Bonjour madame.*

.... – Il coûte combien ?

.... – Je peux vous renseigner ?

.... – Bon, c'est un peu cher mais je pense que je vais prendre ce vélo.

....*2*.... – *Bonjour !*

.... – Vous n'avez pas un vélo moins cher ?

.... – Oui, merci. Je voudrais un vélo de ville. Qu'est-ce que vous me conseillez ?

Faire des comparaisons

3. Lisez les deux descriptions puis associez.

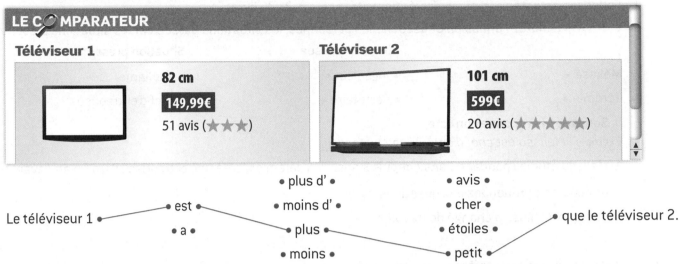

4. Par deux. **Posez des questions à l'oral à un camarade sur ses activités culturelles (regarder des films, visiter des musées, lire, voyager…) puis faites six comparaisons.**

Exemple : *Angelica, tu regardes beaucoup de films ? → Tu regardes plus de films que moi.*

5. 🎧)125 **Écoutez les informations à la radio puis complétez les titres de journaux avec *plus*, *moins*, *plus de* et *moins de*.**

Exemple : *1976 : Les Français font 1 heure de sport par semaine. 2016 : Les Français font 2 heures de sport par semaine. → Les Français font plus de sport qu'avant.*

1. Les enfants marchent .... pour aller à l'école en ville que dans les années 60.

2. Les étés sont .... chauds à Toulouse qu'avant.

3. Les pères s'occupent .... des enfants qu'en 1950.

4. Il y a .... neige dans les Alpes du Sud qu'avant.

5. Les Français font .... voyages à l'étranger aujourd'hui.

6. Les tablettes sont .... chères qu'au début.

Nous agissons

6. 🎧)126 **Votre ami français ne connaît pas votre pays. Écoutez et répondez à ses questions.**

7. Participez à un journal collaboratif. Lisez l'article puis écrivez un texte sur les pratiques sportives dans votre pays.

> Pour les Français, le sport est un moment de loisir. Les femmes font plus de sports in-dividuels comme du Pilates ou du yoga. Les hommes plus de sports collectifs comme du foot ou du rugby. Les hommes regardent plus le sport à la télé que les femmes.
> Pour se déplacer, les Français, hommes et femmes, utilisent plus le vélo qu'avant. Et chez vous ?

Nous nous évaluons

Parler d'une évolution (hier/aujourd'hui)

1. Faites les activités a, b et c puis vérifiez votre score p. 21 du livret.

a. ⌖▸127 Écoutez l'émission et associez les personnes, les situations passées et les situations présentes.

	Situation passée	Situation présente
Mélissa •	• ingénieur •	• étudiante
Jérémie •	• secrétaire •	• chef d'entreprise

b. **Soulignez la réponse correcte.**

Exemple : *Mélissa est chef d'entreprise / professeur.*

1. Mélissa étudie : pendant 3 ans / depuis 3 ans.   **2.** Jérémie a créé une entreprise : il y a un an / avant un an.

c. **Réécoutez et répondez aux questions.**

1. Pourquoi Mélissa a changé de travail ?

....

2. Pourquoi Jérémie préfère sa nouvelle vie ?

....

Mon score ..../10

Nous pratiquons

❯ L'imparfait

2. ⌖▸128 **Écoutez et dites si les personnes parlent d'une situation passée ou présente.**

Situation passée : *exemple*, …   Situation présente : …

3. ⌖▸128 **Réécoutez et imaginez à l'écrit leur situation avant ou maintenant.**

Exemple : *Maintenant, je travaille du lundi au vendredi.*

1. Avant, il ....

2. Maintenant, vous ....

3. Maintenant, elle ....

4. Avant, nous ....

5. Maintenant, tu ....

6. Avant, ils ....

4. Par deux. Observez les dessins et à l'oral, imaginez la situation passée et la situation présente de chaque personne.

1.

2.

Les marqueurs temporels du passé

5. Virginie a changé de vie. Complétez son témoignage avec : *avant*, il y a, pendant, depuis, maintenant et quand.

Avant, j'étais animatrice et j'aimais bien mon travail, mais je voulais changer de profession.

.... le lycée, je m'intéresse à la psychologie. .... trois ans,

je suis retournée à l'université et j'ai étudié .... deux ans. ....

j'ai obtenu mon diplôme, j'ai trouvé un travail dans un lycée. ...., je suis psychologue

scolaire et je suis très heureuse de ma décision !

6. Observez la biographie de Mathilde et racontez son histoire. Utilisez : *il y a*, pendant, depuis, avant et quand.

1980	2003	2004	2011	2012
naissance	diplôme	guide de musée	naissance	professeure
	tour du monde		de sa fille	de peinture

Exemple : *Mathilde est née il y a 40 ans environ.*

....

....

....

....

Nous agissons

7. Lisez l'annonce puis écrivez votre témoignage.

> Les villes ont beaucoup changé, nous cherchons des témoignages : avant, comment était votre ville ?
> Et maintenant, comment est-elle ? Depuis quand a-t-elle changé ?

....

....

....

....

8. 🎧▶129 Écoutez et répondez à cette personne rencontrée pendant une soirée.

9. En français, on utilise le présent pour parler d'une situation commencée dans le passé si elle continue dans le présent. Par exemple, « j'étudie le français depuis un mois ». Comparez avec votre langue.

LEÇON 5 S'habiller « à la française »

Comprendre un dialogue entre un client et un vendeur dans un magasin de vêtements

1. Faites les activités a et b puis vérifiez votre score p. 21 du livret.

a. 🎧 ▸130 **Écoutez le dialogue puis répondez aux questions.**

Exemple : *Où est l'homme dans le magasin ? Au rez-de-chaussée.*

1. Que veut-il acheter à sa femme ? ....

2. Que veut-il s'acheter ? ....

3. Combien doit-il payer ? ....

4. Comment paie-t-il ? ....

b. **Réécoutez et écrivez les noms des rayons.**

③ *Mode hommes*   ① ....

② ....   ⓪ ....

> Mon score ..../10

❯ **Les vêtements et les accessoires**

2. Complétez le texte de cet article.

▐ LA MODE AU TRAVAIL ·····································

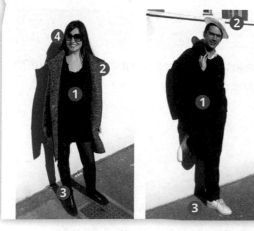

Nos coups de cœur de la semaine

Ariane, directrice marketing, « Un mot : l'élégance ! »

On aime : **1.** la robe noire, **2.** ....,

3. ...., **4.** ....

Olivier, professeur de philosophie, « On peut être chic et cool ! »

On aime : **1.** le costume noir, **2.** .... et

3. .... !

3. 🎧 ▸131 **Regardez l'organisation du magasin puis écoutez et répondez aux clients à l'oral.**

Exemple : *Où se trouvent les lunettes de soleil, s'il vous plaît ?*

→ *C'est au rez-de-chaussée.*

> **AUX ÉLÉGANTS**
>
> 4ᵉ étage – Restaurant
> 3ᵉ étage – Chaussures
> 2ᵉ étage – Mode homme
> 1ᵉʳ étage – Mode femme
> Rez-de-chaussée – Accessoires et beauté

Faire des achats

4. Qui dit ces phrases : le vendeur ou le client ?

1. *Le rayon femme est au deuxième étage.*
2. Vous désirez ?
3. Où se trouve la caisse ?
4. Les manteaux se trouvent au premier étage.
5. Je peux payer comment ?
6. Je peux vous renseigner ?
7. Le rayon beauté et accessoires est au rez-de-chaussée ?
8. Combien coûtent ces lunettes de soleil ?
9. On s'occupe de vous ?

Le vendeur : phrases n° *1,* ....

Le client : phrases n° ....

Le verbe *payer*

5. Lisez le dialogue entre un serveur et des clients et complétez avec la ou les forme(s) correcte(s).

Serveur : *Qui paye / paie ?*

Homme : Je .... / .... (1).

Couple : Ah, non, tu ne .... / .... (2) pas, tu as payé la dernière fois. Cette fois, c'est pour

nous, nous .... (3) !

Serveur : Très bien, et vous .... (4) comment, messieurs dames ?

Homme : En chèque, c'est possible ?

Serveur : Ah, d'habitude les clients .... / .... (5) plutôt en carte. Mais oui, c'est possible.

Sons du français   Les sons [ʒ] et [ʃ]

6. 🎧))132 Écoutez et cochez si vous entendez le son [ʒ].

Exemple : *J'adore ce magasin !* ☒   1. ☐   2. ☐   3. ☐   4. ☐   5. ☐   6. ☐

Nous agissons

7. 🎧))133 Vous êtes dans un grand magasin français. Répondez aux questions de l'enquêtrice.

8. Lisez le texto de votre ami et répondez.

> Salut, tu t'habilles comment pour le 31 décembre ?
> Moi, je ne sais pas… Tu as une idée pour moi ? Bises. Simon

....

....

....

....

9. La carte bancaire est le mode de paiement le plus utilisé en France devant l'argent liquide et le chèque.
Et dans votre pays ?

LEÇON **6** Petits coins de France

Comprendre des appréciations

1. Lisez l'article. Choisissez vrai ou faux et justifiez votre réponse avec un extrait de l'article.
Vérifiez votre score p. 22 du livret.

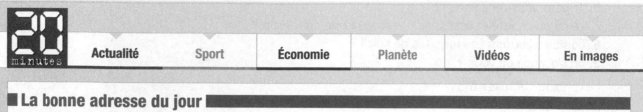

■ La bonne adresse du jour

Le petit Larousse – Métro Malakoff

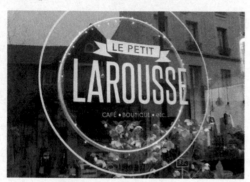

On vient dans ce petit café convivial pour se parler et se rencontrer. L'ambiance est très chaleureuse.
On peut aussi déjeuner pour 10 ou 11€. Les salades et les plats du jour sont franchement délicieux.
Le cheesecake a l'air vraiment incroyable.
Il y a une partie boutique où on trouve des objets originaux et peu chers.
Seul problème : pas de parking, c'est dommage.

Exemple : *Les gens vont dans ce café pour être ensemble.* Vrai / Faux : « *On vient dans ce petit café convivial pour se parler et se rencontrer.* »

1. L'accueil est plutôt froid. Vrai / Faux : ....

2. Les plats sont peu chers. Vrai / Faux : ....

3. La cuisine est fantastique. Vrai / Faux : ....

4. On peut acheter des objets inhabituels. Vrai / Faux : ....

5. Il n'y a pas de point négatif dans ce lieu. Vrai / Faux : ....

> Mon score ..../10

❯ Les appréciations

2. Cherchez les synonymes.

jk*étonnant*bobinattendunoutconvivialprazvbysinhabituellgfsqgénialrezaghoriginalbcvxwopuinbfincroyables-
dqghopuirtfantastiqueouezsx

1. Synonymes de surprenant (4 mots) : *étonnant*, ...

2. Synonyme de chaleureux (1 mot) : ....

3. Synonymes de formidable (3 mots) : ....

3. Complétez la critique de ce film avec : *vraiment original*, ont l'air, j'ai trouvé, franchement magnifiques, peu réussie, j'ai apprécié.

> **ⒶALLOCINE** | Rechercher |
>
> ## Un balcon sur la mer
> J'ai trouvé ce film *vraiment original.* .... les décors. Les paysages sont
> .... Les personnages .... très authentiques.
> Mais, ... la musique assez nulle et la fin du film ....
> C'est dommage.

❯ Nuancer une appréciation

4. 🎧▶134 Écoutez les questions puis répondez oralement avec : *vraiment*, franchement, très, après, peu.

Exemple : *Comment est le film ?* → *(+++ génial) Il est* vraiment *génial.*

1. (+) originale
2. (++++) sympa
3. (-) chaleureux
4. (+++) conviviale
5. (++) étonnante
6. (+) réussi

❯ Les verbes pronominaux réciproques

5. Listez six actions que doivent faire des présidents de pays.

Ils doivent *se rencontrer*, ..., ...,
...., ...,
....

❯ Sons du français   L'intonation expressive

6. 🎧▶135 Écoutez et répétez. Dites si la personne est contente ↗ ou pas ↘.

Exemple : *C'est vraiment ridicule !* ↘

1. ....   2. ....   3. ....   4. ....   5. ....   6. ....

Nous agissons

7. Choisissez un lieu (café, restaurant, musée, magasin…) et écrivez une critique (produits proposés, accueil, services…) pour le guide des bonnes adresses de votre ville.

> ## 📍 Guide des bonnes adresses
> Nom du lieu : ....   Ville : ....
> Critique : ....
> ....
> ....

8. 🎧▶136 Écoutez et répondez aux questions d'un touriste français.

Nous allons vivre « à la française »

Compréhension écrite

1 Avec Nicolas et Slimane, deux étudiants de votre cours, vous voulez organiser une soirée avec les autres étudiants de votre cours. Vous allez préparer quelques plats. Pour vous donner des idées, vous regardez ces menus :

Menu 1
Rillettes de canard
Gigot d'agneau aux pommes
et sa purée de pommes de terre
Salade de fruits

Menu 2
Soupe à l'oignon
Poulet rôti au citron,
brocolis et haricots verts
Tarte aux fruits rouges

Menu 3
Soupe de légumes
Filet de colin au miel et riz basmati
Mousse au chocolat

Menu 4
Rillettes de poissons
Pavé de saumon au vinaigre balsamique
avec des épinards
Tarte chocolat-citron

1. Quelles entrées peuvent être proposées à des personnes qui ne mangent pas de légumes ?

....

2. Quels sont les plats de viande ?

....

3. Quels plats sont avec du poisson ?

....

4. Quels légumes sont proposés dans ces 4 menus ? Cochez :

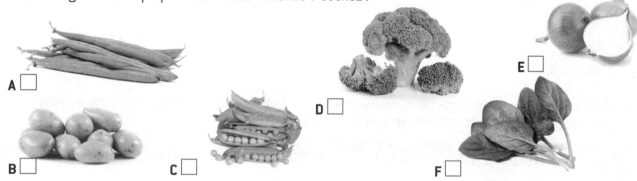

A ☐ B ☐ C ☐ D ☐ E ☐ F ☐

Production orale

2 Vous rencontrez Slimane et Nicolas pour leur donner votre avis sur les menus. Vous proposez la composition d'un menu et vous dites quel plat vous allez préparer. Vous faites ensemble la liste des aliments à acheter et leur quantité.

Compréhension orale

3 🎧▶137 **Pour la soirée entre étudiants, vous voulez vous acheter de nouveaux vêtements. Vous êtes dans un magasin et vous entendez cette conversation.**

1. La cliente veut acheter :

A

B

C

2. Pour son mari, la cliente recherche :

A

B

C

3. Complétez les informations suivantes :

	À quel endroit dans le magasin ?
Rayon femme	
Rayon homme	
Chaussures	

4. Qu'est-ce qu'on peut trouver au rayon chaussures ?

    a. Les caisses.   **b.** Les accessoires.   **c.** Les cabines d'essayage.

Production écrite

4 **Vous recevez ce message d'Ivana, une des étudiantes de votre cours. Vous répondez à Ivana. Vous lui rappelez le nom de vos plats. Vous listez les ingrédients nécessaires pour préparer ces plats et vous précisez les quantités. (40 mots minimum)**

De : ivana@hotmail.com

G *I* S Aa A⁺ ∠ ≡ ≡ ≡ ≡ ∞ ☺

Salut !
Je ne sais plus comment s'appellent les plats d'hier soir mais j'ai adoré ! Tu cuisines très bien !
Est-ce que tu peux me faire la liste des produits et me donner les quantités, s'il te plaît ?
Je vais essayer de faire ces plats ce week-end parce que mes parents viennent me rendre visite !
Merci beaucoup !
Bises
Ivana

A : ivana@hotmail.com

G *I* S Aa A⁺ ∠ ≡ ≡ ≡ ≡ ∞ ☺

Nous nous évaluons

Évoquer des changements

1. Lisez les informations puis aidez Rémi à écrire son histoire. Vérifiez votre score p. 22 du livret.

Avant (situation initiale) : *célibataire* – pas d'enfant – lieu de vie : appartement à Paris, avec 3 autres amis célibataires – beaucoup de fêtes

Événements qui ont changé la situation initiale : accident de vélo – hôpital – rencontre avec Marianne, étudiante en médecine

Situation actuelle : marié avec Marianne – un bébé – lieu de vie : petite maison à la campagne – heureux

Avant, j'étais célibataire. ....

Puis ....

Aujourd'hui, ...

Mon score ....../10

Nous pratiquons

⟩ L'apprentissage

2. Complétez l'annonce du centre de langues avec : *débutant(e)*, prendre, progrès, difficultés, inscrire, groupe, particuliers.

Vous êtes *débutant(e)* ou vous avez des .... (1), vous n'aimez pas travailler

en .... (2) mais vous voulez faire des .... (3) rapides ?

Venez .... (4) des cours .... (5) ! Vous pouvez vous

.... (6) à l'accueil.

⟩ L'imparfait, le passé composé et le présent

3. Lisez le témoignage de Nelly puis mettez les verbes aux temps qui conviennent.

Avant, j' *(avoir) avais* beaucoup de difficultés en cours d'allemand, je (ne pas comprendre)

.... tout et je (ne pas trouver) .... vraiment d'intérêt

à apprendre une langue étrangère. Puis, j' (participer) .... à un échange. Je

(aller) .... dans une famille allemande pendant deux semaines et j' (faire)

.... beaucoup de progrès. Aujourd'hui, je (pouvoir) .... écrire

des méls en allemand à mon amie allemande et parfois je lui (téléphoner) .... !

4. Regardez les images puis imaginez 2 autres phrases pour la situation initiale (SI), les événements qui ont changé la situation initiale (E) et la situation actuelle (SA).

SI : Dans les années 80, il y avait 50 000 habitants dans cette ville.

1...

2...

E : L'entreprise a fermé.

3...

4...

SA : Aujourd'hui, il reste seulement 10 000 habitants.

5...

6...

5. 🎧▶138 **Écoutez les extraits du témoignage et cochez.**

	Exemple	1	2	3	4	5	6
Situation initiale	X						
Événements qui ont changé la situation initiale							
Situation actuelle							

6. Lisez l'histoire de Martina (situation initiale, événements importants, situation actuelle).

a. **Mettez le texte dans l'ordre.**

1. Puis, j'ai fini mes études. J'ai déménagé à Paris. J'ai trouvé un travail de professeur à l'université. J'ai eu un enfant.

2. Aujourd'hui, j'habite et je travaille à Paris, je gagne plus d'argent qu'avant mais je sors moins qu'avant. Je suis très occupée par ma vie professionnelle et ma vie familiale.

3. Il y a 5 ans, j'habitais à Zagreb. J'étais étudiante. Je n'avais pas d'enfant. Je sortais beaucoup.

Situation initiale : ...   Événements importants : ...   Situation actuelle : ...

b. **Par deux. À votre tour, présentez à l'oral votre situation à différents moments de votre vie :** il y a 5 ans, les événements qui ont changé cette situation, aujourd'hui.

Nous agissons

7. 🎧▶139 **Écoutez cette enquête sur les lieux de vie et répondez.**

8. L'office de tourisme de votre ville prépare une exposition sur l'histoire de votre ville. Vous êtes chargé(e) de faire une présentation en français en trois parties.

> **Exposition : Ma ville d'hier à aujourd'hui**
>
> Ma ville hier : ....
>
> ....
>
> ....
>
> Les grands changements : ....
>
> ....
>
> ....
>
> Ma ville aujourd'hui : ....
>
> ....
>
> ....

LEÇON **2** Un dîner en ville

Comprendre un dialogue qui parle d'un restaurant

1. Faites les activités a et b puis vérifiez votre score p. 23 du livret.

a. 🎧 140 Écoutez et entourez la/les réponse(s) correcte(s).

Exemple : *c'est une discussion entre amis /(une émission de radio.)*

1. Françoise et Régis sont : les clients d'un restaurant / des critiques gastronomiques.

2. Le restaurant « L'Union parisienne » est : ancien / nouveau.

3. Dans leurs commentaires, ils parlent : de la cuisine / des portions / du personnel / du service / de l'atmosphère / du lieu / du prix.

4. Les réservations sont : nécessaires / inutiles.

b. Réécoutez deux fois et complétez le tableau.

	Commentaires positifs	**Commentaires négatifs**
Régis	*très sympathique*	*assez élevée*
Françoise		

Mon score ...... /10

Caractériser un restaurant et passer commande

2. Complétez le dessin avec :

- Un couteau, une fourchette, une petite cuillère, une grande cuillère, une assiette, un verre, une serviette
- Du sel, du poivre, une carafe d'eau, du pain

3. Complétez cet avis sur un restaurant avec : *originale*, accueillant, vraiment bruyant, idéal, rapide, élevé, très bon, varié, trop petit. **Attention aux accords !**

Le Comptoir du Marché : Carte *originale*, plats .... et ingrédients de belle qualité mais le rapport qualité-prix n'est pas .... : les prix sont .... et les portions .... La localisation est .... : le restaurant est au centre de la ville historique mais la salle est .... Le personnel est .... mais le service n'est pas ....

4. 🎧 ᴴ141 **Écoutez et associez la question entendue à la réponse correcte.**

Exemple •   • **a.** Oui, nous prendrons deux plats du jour s'il vous plaît.
   1. •   • **b.** À point.
   2. •   • **c.** Aujourd'hui, le chef vous propose une crème brûlée ou des profiteroles.
   3. •   • **d.** C'était très bon, merci !
   4. •   • *Bien sûr madame, quel jour s'il vous plaît ?*
   5. •   • **e.** De l'eau plate ou de l'eau gazeuse ?
   6. •   • **f.** Je vous l'apporte tout de suite !

5. Par deux. Dialoguez et choisissez les plats que vous préférez et expliquez pourquoi. Utilisez les menus de la leçon 2 p. 149 du livre.

Exemple : – *Qu'est-ce que tu veux prendre comme plat d'Europe ?*
          – *Je préfère … parce que …*

🔊 Sons du français   Le son [j]

6. 🎧 ᴴ142 **Écoutez et cochez si vous entendez le son [j].**

Exemple : *C'est très bruyant !* ☒   **1.** ☐   **2.** ☐   **3.** ☐   **4.** ☐   **5.** ☐   **6.** ☐

Nous agissons

7. Répondez à la demande de votre ami sur Facebook.

facebook.

I ♥ French

« Mes amis, c'est urgent ! Je veux inviter mon ami français dans un restaurant de style français ou européen, qu'est-ce que vous me recommandez ? S'il vous plaît, donnez-moi un maximum d'informations : type de restaurant, lieu, rapport qualité-prix, plats, décoration, service, etc. Merci beaucoup !!!!!!!!! »

....
....
....
....

8. 🎧 ᴴ143 **Faites une réservation dans un restaurant pour un dîner avec vos amis : écoutez et répondez.**

Nous nous évaluons

Comprendre un dialogue entre une vendeuse de vêtements et un client

1. Faites les activités a et b puis vérifiez votre score p. 24 du livret.

a. 🎧 ▶144 **Écoutez et répondez.**

Exemple : *Que cherche l'homme ? Un costume et une chemise*

1. Quels accessoires propose la vendeuse ? ....

2. Que prend l'homme finalement ? ....

b. **Corrigez les six autres erreurs du ticket de caisse.**

LE GRAND MAGASIN

1 paire de chaussures vernies : ~~T.43~~ – 99 €
T.42

1 chemise blanche : T.42 – 120 €

- -

Total à payer : 219 €

Règlement par chèque ....

(Mon score ...... /10)

Nous pratiquons

Acheter des vêtements

2. Regardez les vêtements et accessoires de Jean et Martine. Écrivez les noms.

Jean : *1. une veste* **2.** .... **3.** .... **4.** ....

5. .... **6.** .... **7.** .... **8.** ....

Martine : *9. une robe* **10.** .... **11.** .... **12.** .... **13.** ....

14. .... **15.** .... **16.** .... **17.** ....

3. Trouvez les questions.

Exemple : *Vous prenez la robe ? Oui, je vais la prendre.*

1. .... ? Oui. Je cherche une robe de soirée.

2. .... ? Je fais du L.

3. .... ? Je fais du 37.

4. .... ? Ça fait 49 €.

5. .... ? Oui, bien sûr, vous pouvez essayer.

6. .... ? Par carte.

Les pronoms personnels COD

4. 🎧▶145 **Écoutez et répondez à l'oral avec les éléments proposés. Utilisez *le*, *la*, *l'* ou *les*.**

Exemple : *Vous voulez cette robe en quelle taille ?* → *(38) Je la veux en 38.*

1. (en anglais) **2.** (aux Galeries Lafayette) **3.** (non) **4.** (en bleu) **5.** (oui) **6.** (à la librairie La Sorbonne.)

5. Lisez cet article et complétez avec les pronoms COD : *le*, *la*, *l'* ou *les*.

ELLES MAGAZINE MODE

La Fashion Week a lieu cette semaine à Paris. Quelle sera la mode pour la saison prochaine ? On *la* découvre. La robe, on .... (1) choisit simple, courte et noire. On .... (2) porte avec des bottes. On .... (3) prend à talons, c'est plus chic. Et on porte des accessoires ! L'accessoire à avoir absolument, c'est le chapeau. On .... (4) met avec tout et on .... (5) trouve de toutes les formes et de toutes les couleurs ! Cette saison, vous pourrez .... (6) acheter dans tous les magasins et à tous les prix !

Sons du français Le son [ɔ]

6. 🎧▶146 **Écoutez. Dites dans quel mot vous entendez le son [ɔ] et quelle consonne vient après [o].**

Exemple : *Tu portes une cravate ?* → *portes* = [ɔ] + r

1. .... 3. .... 5. ....

2. .... 4. .... 6. ....

Nous agissons

7. 🎧▶147 **Vous êtes dans un magasin de vêtements. Écoutez et répondez aux questions de la vendeuse.**

8. Répondez au texto.

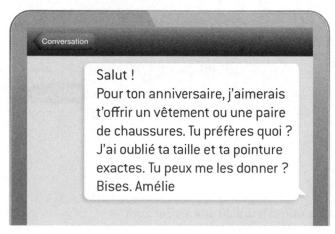

Conversation

Salut !
Pour ton anniversaire, j'aimerais t'offrir un vêtement ou une paire de chaussures. Tu préfères quoi ? J'ai oublié ta taille et ta pointure exactes. Tu peux me les donner ?
Bises. Amélie

Conversation

9. En France, les tailles sont 36, 38, 40, 42, 44… et les pointures sont : 36, 37, 38, 39, 40…
Comment exprime-t-on les tailles et les pointures dans votre pays ?

LEÇON **4** Chez l'habitant

Caractériser une chose ou une personne

1. Lisez le document puis complétez la présentation du site *Le partage en voyage*. Utilisez *qui* et *que*.
Vérifiez votre score p. 24 du livret.

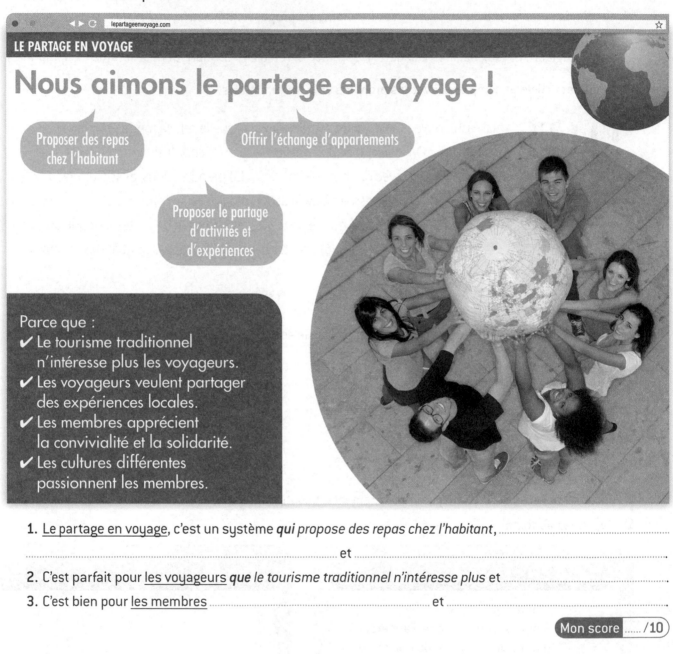

lepartageenvoyage.com

LE PARTAGE EN VOYAGE

Nous aimons le partage en voyage !

Proposer des repas chez l'habitant

Offrir l'échange d'appartements

Proposer le partage d'activités et d'expériences

Parce que :
- ✔ Le tourisme traditionnel n'intéresse plus les voyageurs.
- ✔ Les voyageurs veulent partager des expériences locales.
- ✔ Les membres apprécient la convivialité et la solidarité.
- ✔ Les cultures différentes passionnent les membres.

1. Le partage en voyage, c'est un système *qui* propose des repas chez l'habitant, ...
.... et ....

2. C'est parfait pour les voyageurs *que* le tourisme traditionnel n'intéresse plus et ....

3. C'est bien pour les membres .... et ....

Mon score ...... /10

❥ Les repas chez l'habitant

2. 🎧 ▶148 Écoutez et dites de quelle formule parlent les utilisateurs du site VizEat.com.

Visite de marché : *exemple*, ... Brunch : ....

Dîner : .... Pique-nique : ....

Les pronoms relatifs *qui* et *que*

3. Devinez de *qui* ou de *quoi* on parle.

Exemple : *C'est la personne qui m'enseigne le français. → C'est mon professeur.*

1. C'est la langue que j'étudie. → ....
2. Ce sont les personnes qui sont en classe avec moi. → ....
3. C'est le livre que nous utilisons en classe. → ....
4. C'est le site qui propose des repas chez l'habitant. → ....
5. C'est le repas qui remplace le petit-déjeuner et le déjeuner. → ....
6. Ce sont les personnes que je peux contacter sur VizEat. → ....

4. Complétez le commentaire avec *qui*, *que* ou *qu'*.

Nous avons eu la chance de partager un repas avec Aleksandra, l'hôte bulgare ....

a préparé un dîner pour nous. C'est vraiment une expérience .... je recommande car

nous avons pu découvrir la cuisine bulgare authentique, ... on ne trouve pas dans

un restaurant et .... est tout à fait délicieuse ! Aleksandra, ... est

une excellente cuisinière, a préparé une moussaka. Cette moussaka était très différente de la moussaka

.... j'ai mangée en France !

5. Par deux. À l'oral, présentez et caractérisez une personne importante pour vous.

Exemple : *Anja, c'est une amie que je connais depuis longtemps. C'est une jeune femme qui est calme et positive. C'est une personne que je peux appeler quand je veux et qui m'écoute toujours.*

Les pronoms toniques

6. Répondez aux questions en utilisant les pronoms toniques.

Exemple : *C'est un cadeau pour tes parents ? Oui, c'est un cadeau pour **eux**.*

1. Noël, c'est une fête importante pour toi ? Oui, ...
2. Vous mangez chez ta grand-mère ? Oui, ...
3. Tu décores la maison avec ton père ? Oui, ...
4. Vous dînez avec vos amis ? Non, ...
5. Vous viendrez chez nous le 31 janvier ? Oui, ...
6. Et tu vas acheter un cadeau pour moi aussi ?!? Oui, ...

Nous agissons

7. Un mot valise, c'est une création qui utilise deux mots ensemble. Proposez des définitions comme dans l'exemple et utilisez *qui* et *que*.

Exemple : *Une tablaise : c'est une table que tu peux transformer en chaise et une chaise qui est grande comme une table.*

1. un dessercipal : ....
2. un webvoyage : ....

8. 🎧▸149 **Écoutez et répondez à la question de votre ami.**

Nous nous évaluons

Donner une opinion sur un spectacle

Yasmina Reza
Bella Figura
théâtre

Flammarion

1. Faites les activités a et b puis vérifiez votre score p. 25 du livret.

a. 🎧)150 Écoutez et soulignez la réponse correcte.
Exemple : *Il s'agit d'une émission de radio / de télévision.*

1. On parle de théâtre / cinéma / littérature.   2. Ça se passe à Paris / Lyon / Villeurbanne.

b. Vrai ou faux ? Réécoutez. Cochez la réponse correcte et justifiez avec un extrait de l'émission.
Exemple : *L'histoire est originale. Vrai ☐ Faux ☒ Justification : L'histoire est trop simple.*

1. Les décors sont surprenants. Vrai ☐ Faux ☐ ....

2. Les personnages changent beaucoup. Vrai ☐ Faux ☐ ....

3. Les acteurs jouent bien. Vrai ☐ Faux ☐ ....

4. Il faut réserver vite. Vrai ☐ Faux ☐ ....

Mon score ....../10

Nous pratiquons

❯ Être d'accord ou pas d'accord avec une opinion

2. Associez les questions aux réponses.

1. *J'aime cet opéra. Et toi ?* •   • a. Je ne la trouve pas très surprenante non plus.
2. Je n'aime pas trop l'art contemporain. Et toi ? •   • b. Je les trouve super aussi.
3. Je ne trouve pas l'histoire du film très originale. Et toi ? •   • c. Je ne l'aime pas trop non plus.
4. Je trouve les acteurs excellents. Et toi ? •   • d. Moi, j'aime bien ce type d'art.
5. Je n'apprécie pas cet écrivain. Et toi ? •   • e. Pas moi. Je les trouve très originaux.
6. Je trouve que les décors sont nuls. Et toi ? •   • f. *Je l'aime bien aussi.*

❯ La restriction ne … que

3. Reformulez les phrases.

Exemple : *Je n'aime rien sauf les décors. → Je n'aime que les décors.*

1. J'aime une seule chose dans ce film : la musique. → ....

2. Elle aime seulement les acteurs dans ce film. → ....

3. Il lit une seule chose : les romans classiques russes. → ....

4. Il écoute seulement de la musique électro. → ....

5. Tu n'aimes rien dans ce musée sauf les peintures hollandaises. → ....

6. J'aime seulement l'art moderne. → ....

4. Lisez les critiques et corrigez les éléments soulignés.

Léa : Je n'ai pas trop aimé ce film. David Renaud ne joue pas très bien et sa partenaire Linda Perrin <u>aussi</u>.

non plus

Il <u>n'y a pas que</u> des musiques des années 30, c'est trop ! Les gens n'écoutent <u>pas encore</u> ça aujourd'hui.

1. ....   2. ....

Je trouve que les décors ne sont pas réussis <u>aussi</u>. Je n'irai <u>pas encore</u> voir de film avec ces deux acteurs.

3. ....   4. ....

Karim : <u>Moi aussi</u>, je n'ai pas aimé ce film et je ne le conseille pas <u>aussi</u>.

5. ....   6. ....

❯ Donner des conseils

5. 🎧▸151 **Écoutez et donnez un conseil de deux manières différentes avec les éléments proposés.**

Exemple : *Tu connais un groupe sympa ?* → *(pouvoir / impératif – écouter – La caravane passe)*
→ *Tu peux écouter La caravane passe. / Écoute « La caravane passe ».*

1. (conseiller de / il faut – regarder – « La vie d'Adèle ») ....

....

2. (pouvoir / impératif – aller – la Fnac) ....

....

3. (il faut / conseiller de – visiter – le Centre Georges Pompidou) ....

....

6. **Complétez le mél avec les verbes visiter, goûter, faire, aller, avoir, découvrir à la forme correcte (infinitif, présent ou impératif).**

Voici des conseils pour visiter Lyon. Il faut *visiter* la Basilique de Fourvière. Tu peux aussi ....

(1) dans le quartier Saint-Jean, c'est la vieille ville. Et puis, je te conseille de .... (2)

les Halles Paul Bocuse pour la gastronomie lyonnaise. .... (3) les fromages de la mère

Richard, ils sont délicieux. Enfin, il faut .... (4) une promenade au Parc de la Tête d'Or.

Et si tu .... (5) encore un peu de temps, ... (6) le quartier de la

Croix Rousse.

Nous agissons

7. 🎧▸152 **Vous êtes à la sortie du cinéma. Écoutez et répondez aux questions du journaliste.**

8. **Lisez le texto et répondez à votre ami.**

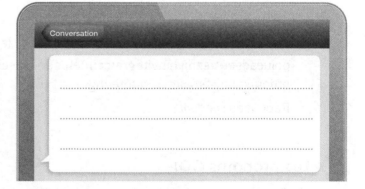

Conversation

Salut ! Je suis avec ma cousine de 18 ans. Je ne sais pas vraiment quoi faire avec elle. Tu as des idées de sorties culturelles ? Il y a quoi au ciné en ce moment ? J'attends tes conseils. Bises

Conversation

9. **« La critique est facile mais l'art est difficile. » Que signifie ce proverbe ? Cochez la bonne réponse.**

Il est plus facile de critiquer que de créer. ☐ Il est plus facile de créer que de critiquer. ☐

Répondez : Êtes-vous d'accord ? Il y a une expression similaire dans votre langue ?

LEÇON 6 Une soirée originale

Organiser une soirée

1. Lisez le texte, faites les activités a et b puis vérifiez votre score p. 25 du livret.

FAITES LA FÊTE.COM	**Des idées pour une soirée**
Enrico	Salut ! Mes amis Christophe et Anne partent vivre à Madagascar avec leurs deux enfants. Je veux leur organiser une belle fête de départ, quelque chose d'original. Vous pouvez me donner des idées ?
Mariette	Pour leur faire plaisir, loue une grande maison pour un week-end et invite tous leurs amis et leur famille. Pour manger, je te conseille un buffet, c'est plus pratique.
David	Pour le buffet, vous pouvez leur préparer des spécialités malgaches, pourquoi pas ?
Nathalie	Et en plus, vous pouvez leur faire une playlist avec des musiques de Madagascar.
Cédric	Pour leur faire vraiment plaisir, il faut leur faire des petits cadeaux personnels : un album photo ou une vidéo souvenir par exemple.

a. Répondez aux questions.

Exemple : *Qui organise la fête ? Enrico.*

1. La fête est pour qui ? .... **2.** À quelle occasion ? ....

b. Complétez la liste d'idées d'Enrico.

> **Idées pour la fête**
>
> Exemple : *Logement : louer une grande maison.*
>
> **1.** Invités : ....
>
> **2.** Nourriture : ....
>
> **3.** Musique : ....
>
> **4.** Cadeaux : ....

Mon score ..../10

La fête, le jeu

2. Trouvez les dix autres mots du vocabulaire de la fête et du jeu.

poiucadeautreznjvhinvitégretsoiréefdsejeudesociétérezagagetrezdéfiwxcvbuffetnbvsurprisebnbtdéguisementdersxanniversairecxwnfêteqhg

Réponses : *cadeau,* ....

Les pronoms COI

3. 🎧ᴴ153 **Écoutez et répondez à l'oral.**

Exemple : *Tu organises quoi pour l'anniversaire d'Antoine ? → (un dîner) Je lui organise un dîner.*

1. (mon costume de vampire) – **2.** (un week-end à Venise) – **3.** (un album photos) – **4.** (une cravate) –
5. (des crêpes) – **6.** (une fête surprise)

4. Mettez les mots de la publicité dans l'ordre.

Notre sélection spéciale Noël

Exemple : *lui / - / belle / surprise / une / faites* → *Faites-lui une belle surprise.*

À votre mari :   **1.** chaud / pull / - / lui / un / achetez → ....

2. offrez / - / un / au / ski / lui / week-end → ....

À votre femme : **3.** - / restaurant / lui / organisez / au / un / dîner → ....

4. joli / plaisir / bijou / lui / faites / avec / - / un → ....

À vos enfants :   **5.** histoires / leur / - / racontez / belles / de → ....

6. de / - / des / leur / jeux / société / achetez → ....

Les pronoms COD et COI

5. Complétez avec *le, la, l', les, lui, leur*, puis faites le test et comparez avec votre voisin.

LE PETIT TEST PSY DE LA SEMAINE Réagissez aux situations :

Situation 1 Vous voyez Markus, un ami d'enfance, dans la rue mais il ne vous voit pas.

Vous *lui* parlez. ☐
Vous .... dites bonjour. ☐
Vous .... appelez : Markus ! ☐
Vous ne .... regardez pas. ☐

Situation 2 Votre meilleure amie vous a offert un livre que vous avez déjà.

Vous .... remerciez. ☐
Vous ne .... dites rien. ☐
Vous .... expliquez que vous avez déjà lu ce livre. ☐
Vous .... demandez de changer. ☐

Situation 3 Vos voisins font beaucoup de bruit.

Vous allez .... voir. ☐
Vous .... écrivez une lettre. ☐
Vous ne .... dites plus bonjour. ☐
Vous .... rappelez les règles de voisinage. ☐

Sons du français   Les sons [w] et [ɥ]

6. 🎧 154 Écoutez et cochez si vous entendez [w] ou [ɥ].

Exemple : *C'est lui, mon ami.* [w]☐ [ɥ]☒

1. [w]☐ [ɥ]☐   2. [w]☐ [ɥ]☐   3. [w]☐ [ɥ]☐   4. [w]☐ [ɥ]☐   5. [w]☐ [ɥ]☐   6. [w]☐ [ɥ]☐

Nous agissons

7. 🎧 155 C'est Noël, votre collègue est en retard pour ses achats. Écoutez-la et répondez-lui.

8. Lisez le message de votre ami et répondez-lui.

Sylvie et Alex se marient le mois prochain. On leur fait quels cadeaux ? Toutes les idées sont les bienvenues.

9. En France, on fait des cadeaux pour la fête des mères, la fête des pères, la Saint-Valentin (le 14 février, la fête des amoureux), les anniversaires et Noël. Dans votre pays, à quelles occasions offre-t-on des cadeaux ?

Nous organisons une soirée française

Compréhension écrite

1 Ce week-end, vous allez au restaurant avec des amis. Vous cherchez un restaurant original à leur proposer. Vous trouvez ces informations :

DANS LE JARDIN

Ambiance calme. Bon rapport qualité-prix. Les chaises sont très confortables. Les plats sont très bons et originaux. Vous pourrez aussi vous faire masser avant ou après le repas !

Dans le noir

Faites une expérience originale dans ce restaurant sans lumière. Vous mangerez des plats délicieux dans le noir. Le service est parfait, les serveurs sont très gentils.

BEL CANTO

Vous dégustez de bons plats servis… en chanson ! Dans un décor d'opéra, les serveurs vous apportent vos plats et chantent des airs d'opéra célèbres. Restaurant romantique et original !

AVE MARIA

L'Ave Maria est un restaurant de cuisines du monde. Mélange de plats espagnols, brésiliens ou africains. Décor coloré et festif ! Repas très bons et peu chers.

1. Quel restaurant propose des massages ?

   a. Dans le jardin   **b.** Bel Canto   **c.** Dans le noir   **d.** Ave Maria

2. Que font les serveurs du Bel Canto ?

   a. Ils massent les clients.   **b.** Ils chantent pour les clients.   **c.** Ils dansent devant les clients.

3. Quelle est la particularité du restaurant Dans le noir ?

   ....

4. On mange quel type de cuisine au restaurant Ave Maria ?

   ....

5. Complétez le tableau :

	Comment est le lieu ? Le décor ?
Dans le jardin	
Bel Canto	
Dans le noir	
Ave Maria	

Compréhension orale

2 🎧►156 **C'est lundi. Vous êtes en cours à l'école de langues. Le professeur demande aux étudiants de raconter leur week-end. Nicolas est allé au cinéma et donne son opinion sur le film. Écoutez Nicolas et répondez aux questions.**

1. Nicolas est allé au cinéma…   **a.** seul.   **b.** avec Ivana.   **c.** avec Slimane.

2. Il est allé voir un film…   **a.** français.   **b.** canadien.   **c.** américain.

3. Nicolas a trouvé que le film était…   **a.** triste.   **b.** intéressant.   **c.** ennuyeux.

4. Qu'est-ce que Nicolas a aimé dans le film ?

   a. Les acteurs.   **b.** La musique.   **c.** Les paysages.

5. Nicolas donne quel conseil ?

....

Production orale

3 **C'est à vous de raconter votre week-end. Vous avez passé une soirée originale entre amis. Vous racontez cette soirée (Type de soirée ? Quand ? Quelles activités ?) et vous expliquez pourquoi vous avez aimé (ou non) cette soirée.**

Production écrite

4 **La semaine dernière, des étudiants du centre universitaire d'études du français pour étrangers vous ont proposé de participer à une enquête sur l'apprentissage du français. Vous devez répondre à ce questionnaire avant demain :**

VOTRE APPRENTISSAGE DU FRANÇAIS

NOM : ....   Prénom : ....

Nationalité : ....   Votre langue maternelle : ....

Vous étudiez le français depuis combien de temps ? : ....

Pourquoi avez-vous décidé d'apprendre le français ? Donnez deux raisons.

1. ....

2. ....

Dans quel(s) pays avez-vous appris le français ? ....

Aujourd'hui, vous utilisez le français à quelle(s) occasion(s) ? Donnez deux raisons :

1. ....

2. ....

Merci !

PORTFOLIO

Pour chaque affirmation, cochez une des trois cases :

😊 je peux très bien le faire !

😐 je peux le faire, mais j'ai des difficultés.

🙁 je ne peux pas encore le faire.

Quand vous cochez 😐 ou 🙁, révisez la leçon et faites à nouveau les exercices.

Dossier 1	À l'oral			À l'écrit		
	😊	😐	🙁	😊	😐	🙁
Je comprends…						
l'identité d'une personne (nom, prénom, âge, nationalité)						
un message court de présentation						
des informations personnelles simples						
pourquoi une personne apprend le français						
Je peux…						
saluer une personne						
demander comment va la personne						
me présenter						
présenter une personne						
prendre congé en situation informelle						
prendre congé en situation formelle						
donner des informations personnelles simples						
demander des informations personnelles						
dire pourquoi j'apprends le français						

Dossier 2	À l'oral			À l'écrit		
	😊	😐	🙁	😊	😐	🙁
Je comprends…						
les indications de direction pour trouver mon chemin						
quand une personne se présente, parle d'elle, dit où elle habite et d'où elle vient						

	À l'oral			À l'écrit		
des annonces d'hébergement						
une discussion comportant des informations sur un hébergement						
Je peux…						
nommer des pays et des villes avec la préposition correspondante						
nommer des lieux dans une ville avec l'article correspondant						
localiser des lieux dans une ville avec les prépositions correspondantes						
indiquer un mode de déplacement avec la préposition correspondante						
poser des questions simples pour faire connaissance						
répondre à des questions simples pour me présenter, parler de moi, dire où j'habite et d'où je viens						
parler d'un type d'hébergement						
poser des questions pour m'informer sur un hébergement						
échanger des informations sur un hébergement						
écrire une annonce pour proposer un hébergement						
écrire un message pour chercher un hébergement						

Dossier 3	À l'oral			À l'écrit		
	😊	😐	🙁	😊	😐	🙁
Je comprends…						
quand quelqu'un me parle de sa famille						
la description simple d'une personne						
quand une personne me parle de ses goûts, de ses passions, de ses rêves						
quand une personne me parle de ses activités						
quand une personne m'explique un problème de santé						
les questions d'un médecin au sujet de ma santé						
Je peux…						
parler de ma famille ou d'une autre famille						

	À l'oral			À l'écrit		
décrire et caractériser de façon simple des personnes						
parler de mes goûts, dire ce que j'aime et ce que je n'aime pas						
parler de ma profession						
parler de mes passions						
parler de mes rêves						
parler de mes activités						
expliquer un problème de santé (dire où j'ai mal et comment je me sens) à un médecin						

	À l'oral			À l'écrit		
Dossier 4	😊	😐	🙁	😊	😐	🙁
Je comprends…						
les indications de temps (heures et horaires)						
quand quelqu'un parle de ses activités/habitudes quotidiennes						
quand quelqu'un parle de sa journée de travail						
des documents informatifs sur des sorties						
une proposition/invitation de sortie						
quand quelqu'un accepte ou refuse mon invitation						
Je peux…						
indiquer l'heure et les horaires						
parler de mes activités/habitudes quotidiennes						
exprimer des habitudes et leur fréquence						
décrire une journée entière avec quelques articulateurs						
m'informer sur les sorties						
parler de mes sorties						
proposer une sortie						
inviter quelqu'un						
accepter une invitation						
refuser une invitation						

Dossier 5	À l'oral			À l'écrit		
	🙂	😐	🙁	🙂	😐	🙁
Je comprends…						
le récit d'événements passés						
quand quelqu'un parle d'expériences récentes						
quand quelqu'un parle de projets immédiats						
quand quelqu'un décrit physiquement une personne						
des informations biographiques						
quand quelqu'un donne des conseils						
Je peux…						
raconter des événements passés						
indiquer un moment précis dans le temps						
parler d'expériences récentes (passé récent)						
parler de projets (futur proche)						
décrire physiquement une personne						
faire la biographie d'une personne						
parler d'événements passés						
parler d'événements actuels						
donner des conseils						
apporter une précision avec « mais »						
exprimer une opposition avec « mais »						

Dossier 6	À l'oral			À l'écrit		
	🙂	😐	🙁	🙂	😐	🙁
Je comprends…						
le programme d'un séjour						
la description d'une destination de voyage						
la description d'une formule de voyage						
quand quelqu'un caractérise une ville, un lieu						

	À l'oral			À l'écrit		
la description d'une formule d'hébergement						
quand quelqu'un parle des saisons, du climat						
quand quelqu'un exprime ses émotions et sensations						
Je peux…						
choisir une destination de voyage						
choisir une formule de voyage						
caractériser une ville, un lieu						
décrire une formule d'hébergement						
parler des saisons, du climat						
exprimer des émotions, des sensations						

Dossier **7**	À l'oral			À l'écrit		
	☺	😐	☹	☺	😐	☹
Je comprends…						
un menu						
les avis sur un menu						
quand quelqu'un parle d'une évolution (hier/aujourd'hui)						
quand quelqu'un fait une appréciation positive						
quand quelqu'un fait une appréciation négative						
Je peux…						
donner mon avis sur un menu						
exprimer des quantités précises pour faire des courses						
comparer des pratiques (plus que/moins que)						
parler d'une évolution (hier/aujourd'hui)						
acheter des vêtements en français						
faire une appréciation positive						
faire une appréciation négative						

Dossier **8**	À l'oral			À l'écrit		
	😊	😐	🙁	😊	😐	🙁
Je comprends…						
quand quelqu'un parle de son apprentissage du français et évoque des changements						
quand quelqu'un donne son avis sur un restaurant, un film, un spectacle						
les menus						
quand quelqu'un parle d'une soirée (date, lieu, thèmes)						
Je peux…						
parler de mon apprentissage du français						
évoquer des changements						
caractériser un restaurant avec les adjectifs et les expressions qui conviennent						
passer commande au restaurant						
choisir une tenue vestimentaire						
demander le prix						
caractériser une chose						
caractériser une personne						
utiliser et prononcer *qui* et *que* pour caractériser une chose ou une personne						
utiliser des pronoms personnels COD pour ne pas répéter un mot						
préciser une opinion (ne… plus / ne… que, etc.)						
donner un avis sur un film ou un spectacle						
conseiller un film ou un spectacle						

DELF

Pour répondre aux questions, cochez la bonne réponse ou écrivez l'information demandée.

Exercice 1   `4 points`

🎧▷157 **Vous allez entendre 2 fois un document. Il y a 30 secondes de pause entre les 2 écoutes, puis vous avez 30 secondes pour vérifier vos réponses. Lisez les questions.**

Vous écoutez votre messagerie téléphonique.

1. Juliette va avoir quel âge ?   `1 point`
   A. ☐ 33.   **B.** ☐ 35.   **C.** ☐ 37.

2. Franck a invité combien de personnes à l'anniversaire de Juliette ? ....   `1 point`

3. Franck organise l'anniversaire de Juliette…   `1 point`
   A. ☐ chez elle.   **B.** au restaurant.   **C.** dans l'appartement d'un ami.

4. La fête d'anniversaire est organisée quel jour ? ....   `1 point`

Exercice 2   `5 points`

🎧▷158 **Vous allez entendre 2 fois un document. Il y a 30 secondes de pause entre les 2 écoutes, puis vous avez 30 secondes pour vérifier vos réponses. Lisez les questions.**

Vous écoutez votre messagerie téléphonique.

1. Demain, Caroline…   `1 point`
   A. ☐ va vous accueillir à l'aéroport.
   B. ☐ va aller chez sa sœur Mariam.
   C. ☐ va suivre un cours de français.

2. D'après Caroline, Mariam est comment ?   `1 point`

   A. ☐   **B.** ☐   **C.** ☐

3. Qu'est-ce que Caroline vous demande d'apporter ?   `2 points`

....

4. Hier, qu'est-ce que Caroline a fait ?   `1 point`
   A. ☐ Elle a lu un roman.
   B. ☐ Elle a écouté un album.
   C. ☐ Elle a rencontré une amie.

Exercice 3   `6 points`

🎧▷159 **Vous allez entendre 2 fois un document. Il y a 30 secondes de pause entre les 2 écoutes, puis vous avez 30 secondes pour vérifier vos réponses. Lisez les questions.**

Vous écoutez votre messagerie téléphonique.

1. Samedi, Julien vous propose d'aller… 1 point

A. ☐

B. ☐

C. ☐

2. Que fait Julien samedi à 18h ? 1 point

A. ☐

B. ☐

C. ☐

3. À quelle heure est le rendez-vous, samedi ? .... 2 points

4. Qu'est-ce que Julien vous demande de faire ? 2 points

Exercice 4

10 points 2 points par réponse correcte

🎧▸160 **Vous allez entendre 5 petits dialogues correspondant à 5 situations différentes. Il y a 15 secondes de pause après chaque dialogue. Notez, sous chaque dessin, le numéro du dialogue qui correspond. Puis, vous allez entendre à nouveau les dialogues. Vous pourrez compléter vos réponses. Regardez les dessins.**

Attention, il y a 6 dessins (A, B, C, D, E et F) mais seulement 5 dialogues.

A

dialogue...............

B

dialogue...............

C

dialogue...............

D

dialogue...............

E

dialogue...............

F

dialogue...............

Pour répondre aux questions, cochez la bonne réponse ou écrivez l'information demandée.

Exercice 1

6 points

Vous recevez ce message de votre amie Isabelle.

> **De :** isabelle@hotmail.com
>
> Bonjour !
>
> Je suis en vacances à Budapest depuis une semaine. J'y suis allée il y a 10 ans pour mon travail. Cette ville est de plus en plus belle. Il y a beaucoup de choses à faire et à voir.
>
> J'ai retrouvé une amie. Avant, elle travaillait dans un musée. Maintenant, elle a une boutique de vêtements. J'y ai acheté une belle robe pour cet été mais je n'ai pas trouvé de veste à mon goût. Ce soir, je vais manger dans un restaurant typiquement hongrois !
>
> À bientôt !
>
> Isabelle

Répondez aux questions.

1. Isabelle est à Budapest depuis combien de temps ? .... 1 point

2. Isabelle... 1 point

   A. ☐ connaît un peu Budapest.

   B. ☐ a habité pendant 10 ans à Budapest.

   C. ☐ découvre Budapest pour la première fois.

3. Comment Isabelle trouve la ville de Budapest ? .... 2 points

4. Avant de travailler dans une boutique, l'amie d'Isabelle travaillait dans... 1 point

   A. ☐ un musée.   **B.** ☐ un restaurant.   **C.** ☐ un magasin de vêtements.

5. Qu'est-ce qu'Isabelle a acheté ? 1 point

   A. ☐

   B. ☐   **C.** ☐

Exercice 2

6 points

Vous êtes en France. Vous recevez ce message de votre ami Sébastien. Répondez aux questions.

> **De :** seb@hotmail.com
>
> **Objet :** dimanche après-midi
>
> Salut,
>
> Voici les indications pour aller au musée Guimet dimanche après-midi. De la rue Viala, tu dois aller à la station de métro « Dupleix » et prendre la ligne 6. Tu descends à l'arrêt « Boissière » (5 minutes de trajet). Tu tournes à gauche sur l'avenue Kléber puis encore à gauche dans la rue Boissière. Ensuite c'est tout droit, jusqu'au rond-point. Au rond-point, tu vas sur ta gauche dans l'avenue d'Iéna et le musée se trouve sur ta gauche. Tout près du musée, il y a les Salons de l'Hôtel des Arts et Métiers. C'est magnifique ! On peut aller y boire un café après le musée si tu veux.
>
> Voilà, à dimanche !
>
> Séb.

1. Votre trajet en métro dure combien de temps ? .... [*1 point*]

2. Vous devez descendre à quel arrêt ? [*1 point*]
   A. ☐ Kléber.   **B.** ☐ Dupleix.   **C.** ☐ Boissière.

3. Tracez, sur le plan, le chemin pour aller au Musée Guimet.
   Marquez d'une croix où se trouve le musée. [*2 points*]

4. De la rue Boissière, pour arriver au rond-point,
   il faut aller… [*1 point*]
   A. ☐ à droite.   **B.** ☐ à gauche.   **C.** ☐ tout droit.

5. Après la visite du Musée Guimet, qu'est-ce que
   Sébastien propose de faire ? [*1 point*]

Exercice 3

[6 points]

Vous lisez ces différents séjours sur le site d'une agence
de voyages. Répondez aux questions.

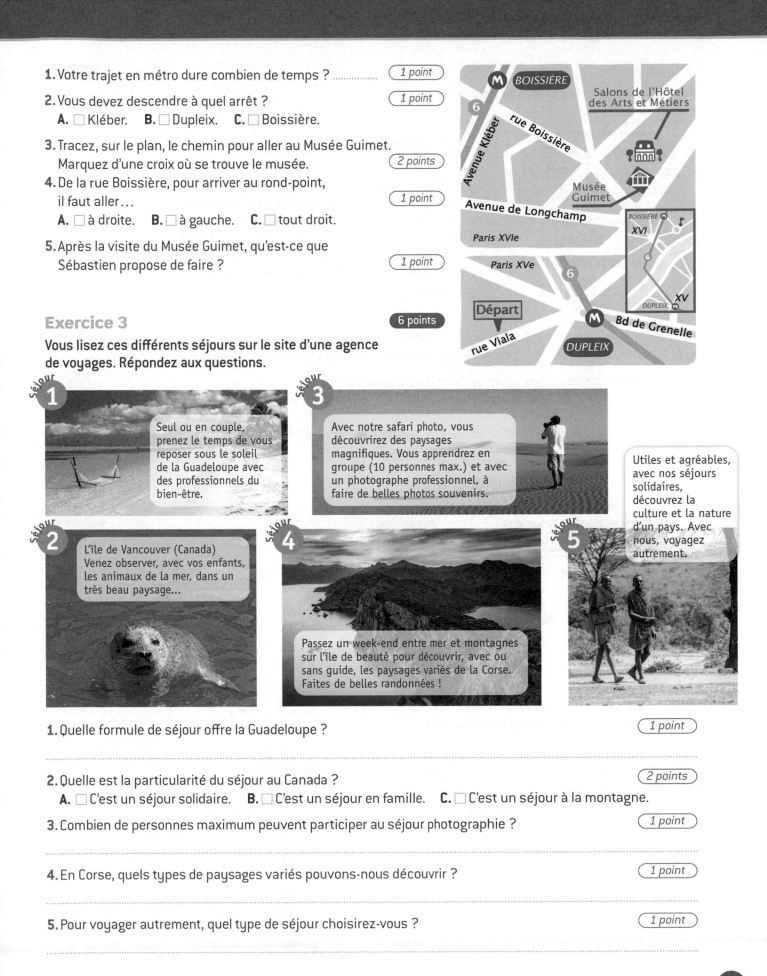

Séjour **1**
Seul ou en couple, prenez le temps de vous reposer sous le soleil de la Guadeloupe avec des professionnels du bien-être.

Séjour **3**
Avec notre safari photo, vous découvrirez des paysages magnifiques. Vous apprendrez en groupe (10 personnes max.) et avec un photographe professionnel, à faire de belles photos souvenirs.

Utiles et agréables, avec nos séjours solidaires, découvrez la culture et la nature d'un pays. Avec nous, voyagez autrement.

Séjour **2**
L'île de Vancouver (Canada) Venez observer, avec vos enfants, les animaux de la mer, dans un très beau paysage…

Séjour **4**
Passez un week-end entre mer et montagnes sur l'île de beauté pour découvrir, avec ou sans guide, les paysages variés de la Corse. Faites de belles randonnées !

Séjour **5**

1. Quelle formule de séjour offre la Guadeloupe ? [*1 point*]

2. Quelle est la particularité du séjour au Canada ? [*2 points*]
   A. ☐ C'est un séjour solidaire.   **B.** ☐ C'est un séjour en famille.   **C.** ☐ C'est un séjour à la montagne.

3. Combien de personnes maximum peuvent participer au séjour photographie ? [*1 point*]

4. En Corse, quels types de paysages variés pouvons-nous découvrir ? [*1 point*]

5. Pour voyager autrement, quel type de séjour choisirez-vous ? [*1 point*]

Exercice 4

7 points

Vous lisez cet article sur un site internet français.

Vous ne savez pas quel type de vacances offrir à vos adolescents ?

Avez-vous essayé la colonie de vacances ?

Katia, 15 ans nous raconte son expérience : « *Je suis en colonie de vacances et j'adore le programme ! Les animateurs sont adorables ! La journée, nous faisons des activités sportives ou artistiques. Par exemple, le mercredi, il y a du tennis et du théâtre, mais je n'aime pas ça, alors, je fais de l'escalade ou de la peinture. On peut faire plein de choses, et on se fait plein de nouveaux amis !* » Alors ? Allez-vous proposer ces vacances à vos ados ?

1. Cet article présente un type de vacances pour… *2 points*

   A. ☐ toute la famille.   **B.** ☐ les adultes seulement.   **C.** ☐ les adolescents seulement.

2. Que pense Katia des animateurs de sa colonie de vacances ? *1 point*

....

3. Chaque jour, quels types d'activités sont proposés ? (2 réponses attendues) *1 point*

   a. .... *0,5 point*

   b. .... *0,5 point*

4. Le mercredi, Katia aime faire quelle activité ? *1 point*

   A. ☐   **B.** ☐   **C.** ☐

5. Pour Katia, les colonies de vacances permettent… *2 points*

   A. ☐ de bien se reposer.

   B. ☐ de découvrir des paysages différents.

   C. ☐ de rencontrer de nouvelles personnes.

III Production écrite

25 points

Exercice 1

10 points   (1 point par item)

Vous voulez obtenir un rendez-vous avec un employé de l'agence de voyages Tour du Monde. Vous remplissez cette fiche d'information :

❱ NOM :

❱ Prénom :

❱ Âge :

❱ Email :

❱ Date de naissance (jour/mois/année) :

❱ Pays de destination :

❱ Période du séjour (mois) :

❱ Formule de séjour (bien-être, visites culturelles…) :

❱ Nombre de voyageurs :

❱ Pour un rendez-vous avec un de nos agents, vous êtes disponible quel jour de la semaine (du lundi au samedi) ? :

Exercice 2

15 points

Vous êtes en vacances. Vous écrivez une carte postale à Edmond, un ami francophone.
Vous dites où vous êtes, les activités (sportives et artistiques) que vous faites et les choses de votre séjour
que vous aimez. (40 mots minimum)

Production orale

25 points

Exercice 1 : entretien dirigé

1 à 2 minutes

Vous répondez aux questions de l'examinateur sur vous, votre famille, vos goûts ou vos activités.

Exemples : *Comment est-ce que vous vous appelez ? Quelle est votre nationalité ?...*

Exercice 2 : échange d'informations

2 minutes environ

Vous voulez connaître l'examinateur. Vous lui posez des questions à l'aide des mots écrits sur les cartes.
Vous ne devez pas obligatoirement utiliser le mot, vous devez poser une question sur le thème.

Exemple : *Date de naissance : Vous avez quel âge ?*

Petit-déjeuner ?	Langues ?	Lire ?
Travail ?	Sorties ?	Moyens de transport ?

Exercice 3 : dialogue simulé (ou jeu de rôle)

2 minutes environ

Vous jouez la situation proposée. Vous vous informez sur le prix des produits que vous voulez
acheter ou commander. Vous demandez les quantités souhaitées.

N'oubliez pas de saluer et d'utiliser des formules de politesse.

Le genre masculin est utilisé pour alléger le texte. Vous pouvez naturellement adapter
la situation en adoptant le genre féminin.

Vous voulez vous inscrire à un club de sport. Vous vous renseignez sur les activités sportives
proposées par le club. Vous choisissez une activité et vous vous renseignez sur les horaires,
les jours et le prix. Vous choisissez et vous payez.
L'examinateur joue le rôle de la personne à l'accueil du club.

1

2

3

4

5

Achevé d'imprimer en janvier 2021 en Italie par L.E.G.O. S.p.A. Lavis (TN) - Dépôt légal : mars 2017 - Édition n° 07 - 64/3271/7